JN074892

安藤 健 Ando Ken 曽和利光 Sowa Toshimitsu

この本に書いている「採用術」を実践すれば、
あなたの会社はきっと、
ほしい人材を採用できるようになります。

はじめに――採用担当者が今の時代に身につけるべき、最も大切な力

「どんなに頑張っても、わが社には優秀な人材がぜんぜん来てくれない」
「理想の人材を見つけ、一生懸命口説いても、結局逃げてしまう」
――あなたにはこれまで、こんな失敗経験がありませんか。

ご存じの通り、今の日本は未曽有(みぞう)の採用難時代です。
2024年現在、新卒採用の求人倍率は2倍近く、中途採用では3倍を超えています。相対的に規模の小さい中堅・中小企業やベンチャー企業では、倍率はさらに高く、今は求職者側が完全有利な「売り手市場」です。

その中で、自社の命運を握って優秀な人材を獲得しようと悪戦苦闘されている採用担当者の方々を、私たちはたくさん見ています。

この方々の中には、すでに頑張っていろいろ試したのに全くうまくいかないこと

が続いて「何をやってもどうせダメ」とあきらめてしまう方もいます。これは、専門的な言葉を使えば、採用担当者の「自己効力感」が低下している状態で「学習性無気力」状態ともいえます。

自己効力感を失ってしまった採用担当者は、どんな話を聞いても「それは大企業だからできた」「東京だから」「お金があるから」「マンパワーがあるから」と、自社ではできない理由ばかり考えてしまいます。

しかし、同業種で、規模・知名度・資金が同程度の会社で成功しているところはたくさんあります。

ではその違いは何か。

それが本書で最も紙面を割いて詳しく紹介する「口説く力」です。

「口説く力」とは候補者と深い信頼関係を築き、あなた自身の、そして会社の魅力を十分に伝え、入社を決意してもらう力のことです。

同じ状況に置かれていても、ほしい人材が採れる企業と採れない企業の間にある違いが、まさにこの「口説く力」です。

「なんだそんなことか、候補者と信頼関係を築き、会社の魅力を伝えることなどもう十分にやっている」と思われたかもしれません。

しかし、あなたが行っている「口説き」とは、「これを言えばきっとうちに来てくれるはずだ」と候補者や内定者全員に同じフレーズを使い回すことではありませんか？

候補者があなたの会社に抱いている不安について、本音ベースで引き出すことはできていますか？

そもそも、採用選考プロセスのはじめのうちから志望理由をたずね、相手の志望度の高さで合否を決めていませんか？

残念ながら、こういった口説きを行っている会社は、本当にほしい人材が来てくれることはありません。

今、企業の人材獲得が奪い、奪われる「椅子(いす)取りゲーム」化している採用の世界で、「口説くこと」に対する従来のパラダイム（認識）を転換する必要があります。新しい「口説く力」を身につけなければ、あなたの会社にすでにいる社員すらも明日は他社に奪われてしまうかもしれません。

私たち筆者は、これまで人事コンサルタントとして1000社以上の採用活動を支援してきました。その多くは、待っているだけでは採用できない知名度の低い中小企業やベンチャー企業です。共著者の曽和はリクルート出身ですが、彼が入社当時のリクルートは「リクルート事件」直後でもあり、現在のような知名度は当然なく、採用においてはかなり逆境に立たされていました。その中で採用責任者として取り組んできたいろいろな事例を本書の随所で紹介しています。

また私たち筆者（安藤・曽和）は、元々心理学を志したもの同士でもあり、現在は「人材研究所」という会社で心理学や組織論などの学術知見なども武器に人事コンサルティングを提供しています。

そんな私たちが、採用における「口説く力」というものを、できるだけ理論的・体系的に、かつできるだけわかりやすく説明しています。

またわかりやすい表現を意識する過程で、身近な恋愛シーンでたとえたりなどもしています（採用と恋愛は本来極めて似ていると考えています）。

もちろん採用は候補者を「口説く」だけでなく、そもそも「候補者集団を集めて」、「良い人材を見抜く」必要もあります。本書ではその方法についても詳しく触れています。

この本に書いたことを実践することで、優秀な人材をうまく見抜いて、確実に口説くことができ、きっと採用成功につながると信じています。

それでは、どうぞ楽しみながら、ご一読いただければと思います。

2024年7月　安藤　健

目次

第2章　志望度で評価するのは超時代遅れ

第3章　ほしい人材を「集める」ための採用術

第4章　ほしい人材を「見抜く」ための採用術

第5章　ほしい人材を「口説く」ための大原則

第6章 ほしい人材を「口説く」ためのステップ① 候補者と信頼関係を築く

第7章 候補者の本心を徹底的に調べる

ほしい人材を「口説く」ためのステップ②

第8章 ほしい人材を「口説く」ためのステップ③ 自分だけのキラートークを考える

第9章　ほしい人材を「口説く」ためのさらなるテクニック

第10章　内定辞退と早期退職を防ぐ準備のすべて

第11章　ほしい人材を獲得できる採用担当者の育て方

第1章

知名度のない会社でも、見違えるほど採用できるようになる

採用できないと嘆く会社の悩みは3つに集約される

今、日本は未曾有（みぞう）の採用難時代に突入しています。

リクルートワークス研究所の「未来予測２０４０」によると、２０４０年には働く人が１１００万人も供給不足になると予測されています。実際、２０２４年現在でも新卒採用の求人倍率は2倍近く、中途や高卒採用の求人倍率は3倍を超えています。

さて、皆さんがこの本を手に取ってくださっているということは、このような時代背景を受けて、自社の採用活動がうまくいっておらず、さまざまな問題を抱えているということではないかと思います。

私たち筆者は、これまで様々な企業に人事・採用コンサルティングを行ってきました。この経験をもとに、ぜひ皆さんの採用の悩みにお答えしたいと思い本書を書きました。

コンサルティングを通して企業の採用上の悩みを分析していくと、どんな企業であれ抱えている課題は大きく3つに集約されます。

▼「人が集まらない」という課題

「大手就職ナビサイトで3か月間求人広告を出しても、エントリーしたのはたった10名程度。これでは選べない……」というお話をよく聞きます。広告を出して、応募を待つというのは長い間典型的な採用方式でした（我々はこれを「オーディション型」採用と呼んでいます）。しかしそれでは人が集まらないので、より積極的な募集方式として、企業側から候補者に対してスカウトメールを打つ「スカウト型」採用を導入する企業もどんどん増えています。

しかし、そのスカウトメールの反応も、最初の頃は数十%もの高い反応率だったのですが、参入企業が増えるにつれて、最近では数%にまで落ち込んでいることもあります。「採用できないなら候補者集団を増やせばよい」という考え方が限界であるということです。

▼「すぐに辞めてしまう（活躍しない）」という課題

「この前入社したあの人、面接のときの印象はすごく良かったから、きっと活躍してくれると思ったんだけど、いざ入社しても全然成果が上がらないんですよ……」といった悩みも「あるある」でしょう。これは自社にマッチした良い人材を面接などできちんと見抜くことができていないために、入社後の早期離職や、戦力化しない「くすぶり社員」になってしまうケースです。つまり、課題の原因は選考の精度が低いことです。

特に最近では面接の精度が低いことが問題視されています。採用選考の手法は、適性検査やワークサンプル（実際に入社後行う仕事のサンプルをさせてみること。インターンシップもその一つ）、ケーススタディやグループディスカッション、職業に関する知識を問う試験など様々なものがあります。ある研究では、最も面接が妥当性（実際にその評価が入社後に当たっているかどうかということ）が低いという結果が出ています。

このため、企業は面接力を強化するトレーニングを実施したり、構造化面接という「超マニュアル化面接」を行ったり（ただし、この方法は候補者に悪影響を与えることがあり、売り手市場においてはなかなか導入しにくい背景がありあまり普及していません）、面接に変わる選考手法にシフトしたりと、創意工夫を行っています。

▼「内定辞退者が多い」という課題

せっかく人を集めることができ、面接で良さそうな人材を見抜くことができても、入社まで至らずに辞退してしまい、これまでの努力が水の泡になってしまったという嘆きも採用担当者からよく耳にします。新卒の内定辞退率は、平均でも約5割。大企業や有名企業はほとんど辞退がないことを考えると、多くの中小企業・ベンチャー企業では、内定を出しても3人から4人に1人しか受諾をしてもらえない状況になっていると想定できます。

これでは、採用担当者の徒労感は途方もないことでしょう。しかも、採用人数が少数の企業であれば、いくら内定辞退率が高いからといって、大幅に採用目標数を超える人数に内定を出すこともできません。万一、全員受諾されてしまったら、人件費などの負担が想定を超えてしまいます。

このように内定辞退の問題はどの企業にもよくある問題です。

本書ではこの3つの課題と悩みに、すぐに使える具体的な「採用術」を紹介していきます。

採用の厳しさを理解しているつもりでも、パラダイムシフトできている会社は少ない

ただその前に、まずは採用担当者の皆さんがいまおかれている採用マーケットから少し見てみたいと思います。

「いまさら採用マーケットは厳しいことなんてわかっているから、具体的な方法を早く教えてほしい」と思われるかもしれませんが、これからご紹介する採用術は、従来主流であった採用方法とは大きく異なり、採用担当者に大きなパラダイムシフト（認識の転換）が求められるものです。

表面的には採用の厳しさを理解していても、本当の意味で認識が転換できている企業はまだまだ少ないのです。

これから述べる採用術を実際に行っている企業は1、2割程度かもしれません。

ただ、採用は「競争」です。競争戦略の基本は「差別化」であり、「他社（よそ）がやっていないからこそ効果が出る」のです。「そんな採用のやり方は聞いたことがない。本当に効果が出るのか」と思うかもしれませんが、実際に私たちのクライアントはこの方法を実践し、効果が出ているのです。

では、なぜあなたの会社の採用はうまくいっていないのでしょうか。

理由は細かく分ければさまざまですが、ずばり、一昔前の「人材供給過多時代」を引きずっているからにほかなりません。

待っていても一定の候補者が集まり、あまり精度高く人材を見極めなくてもいい時代。余裕を持って人員を採用すればその中の何人かは活躍してくれる時代。俺らが内定を出せばやる気マンマンで入社してくれる時代……。

すべて「昔はよかったあの時代」からアップデートされていないからです。

もちろん、ニュースでは「売り手市場」という言葉が連日飛び交っており、いま人材採用が難しい時代だと認識していない人はいないでしょう。しかし、実際に行っている採用手法は、一昔前と同じである会社が非常に多いです。

もしくは、採用の方法自体を変えないといけないと理解しつつも、具体的にどうすれば良いかわからず、ずるずると旧来の方法を続けてしまっている会社もあるかもしれません。

新卒採用などは1年に1回しかありませんし、その都度少しずつ環境が変わるために、思い切った改革をすることには覚悟が必要です。保険をかければ、これまで通りの採用手法を実践しながら、追加で新しい手法を行うことも必要です。しかし、そんな労力や費用をどうやって捻出(ねんしゅつ)するのかが悩ましいところです。

あるいは、景気が悪い時代は採用が楽になるから、どこかの時期で狙って採用を進めようと待ち続けている会社もあるかもしれません。しかし、この人手不足は少子化を背景とした構造的なものなのです。移民や技術革新などの大きな変化でもない限り、数十年は続くと思われます。ですから、そのような会社は遅かれ早かれ淘汰(とうた)されていく運命でしょう。

今後数十年の日本の採用マーケットで、企業側が楽になることはほぼありません。

採用は今や「椅子取りゲーム」

本章の冒頭にも述べましたが、直近の求人倍率では、新卒（24年度卒）で１・71倍（リクルートワークス研究所『第40回 ワークス大卒求人倍率調査』）、中途ではなんと3・22倍（ＤＯＤＡ『転職求人倍率レポート（２０２３年12月）』）です。

しかし、ここで注目すべきは求人倍率ではありません。その中身である求人数と求職者数の推移です。新卒も中途も就職希望者数はほぼ横ばいであるにもかかわらず、求人数が増加し続けているのです。

つまり、政府の働き方改革でシニアや女性などに雇用機会が拡がり、労働者人口の対象範囲は増えているものの、それを上回る求人数の増加によって売り手市場が高止まりしているのです。

要するに、今の日本は昔のような「人余りの時代」ではなく、「会社余りの時代」へ完全に移行してしまったのです。

ちなみに、２０２２年の出生時人口は初の80万人を割り、過去最低でした。人口動態とはすでに「確定した未来」です。ある年に生まれた人口がほぼそのまま20年後の労働者人口に参入します。ここからも、今後売り手市場に変わることはほぼありません。

完全失業率を見ても、2022年12月時点で男女合わせて2・5％でした（独立行政法人 労働政策研究・研修機構、『国内統計：完全失業率』2023年1月発表）。経済学の世界では、完全失業率が3％を切ると、完全雇用状態に近いといわれています。

つまり現時点では、皆どこかの組織に所属していることになります。となると、採用は今や「椅子取りゲーム状態」です。求職者が増えないまま、企業の求人数ばかりが増えれば、すでにどこかの会社に所属している人たちを、こちらから奪い取らなければ、企業は待っているだけでは新たな人材獲得が見込めません。

求職者からすれば、（希望する業界によりますが）待っていても求人があるので楽勝です。仕事探しに焦る必要などなく、条件が良いと思った会社を吟味し入社を決めればいい。

つまり、あなたの会社に入る必要性はありません。

近年では『ビズリーチ（株式会社ビズリーチ）』や『OfferBox（株式会社i-plug）』といったスカウトメディア（企業側が欲しい人材に直接連絡する）が隆興（りゅうこう）を極めているのも当然の流れといえます。

求職者側は待ちの姿勢でもどこからかスカウトが飛んできますが、企業側が待っていても誰も来ません。

本気で攻めないと、ほしい人材は獲得できません。

あなたの会社でバリバリ働いている売り上げ1位の営業マン。彼も明日にはほかの会社に奪われるかもしれません。

どの会社にいても、人材を奪い、奪われる。

この「弱肉強食の世界」に我々は生きているということを理解しましょう。

成長する会社に必要な3つの力
――「採用力」「育成力」「配置力」

このように考えると、採用だけで必要な人材を確保するという計画自体が無理筋かもしれません。

本書は採用についての本ですが、採用以外の人事施策でどこまで補完できるのかを考える必要があります。

というのも、採用は組織の外部が相手ですが、その他の人事施策は組織内部の従業員が相手なので、比較的対処しやすいからです。まずは対処しやすい部分でできる限りのことを行い、どうしても補えない部分を採用で補うという考え方が、現実的な順序ではないでしょうか。

少し回り道になりますが、一度人事全体の観点で話をさせてください。

ご存知の通り、人事の仕事は採用だけではありません。

人事は、人材が組織に入り（採用）、いずれ組織を去る（退職）までの一連の流

人事の6機能

①採用	外部市場から人材を調達する
②育成	人材を育成し、戦力化する
③配置	仕事へのアサインとチームへのアサインを行う
④評価	特定の行動・成果を評価する
⑤報酬	評価に合わせた報酬（金銭的・非金銭的）を与える
⑥代謝（退職）	外部市場へ人材が輩出される

れに深く関わる仕事です。会社が行う採用から退職までの一連の人事機能のことを「人事の6機能」と呼びます。

実際に、多くの企業では、人事は採用担当や育成担当、人事制度（評価・報酬）担当など、役割を機能別に分けて仕事を行いますが、中でも一番重要なことは、それぞれの人事機能の方針が一致していることです。

例えば、中途採用よりも新卒社員の採用比率が圧倒的に高い、「育成ありき」のポテンシャル重視の採用を行うと方針を決めていても、実態は、入社後に丁寧な導入研修やトレーニングなどの育成をせず、いきなり現場に放り込んでしまう、短期的な成果によって評価する人事施策を行っている会社があります。

しかしこれでは、各機能の方針が一貫していません。

本来はもっと丁寧にオンボーディング（新入社員の順調な定着と活躍を目的とした人事諸施策の総称）を行うか、もしくは、入社後そのような厳しい対応をするのであれば、逆に採用は中途採用で自立したプロばかりを採用した方が一貫性はあります。しかし、一貫性のない方針では、決して良い人事が機能しているとはいえません。

そもそも、経営の現場では「組織は事業戦略に従い、事業戦略は組織に制限される」といわれる通り、事業と組織は経営の両輪です。

つまり、組織人事として行うすべての施策は、本来事業成長につながっている必要があります。同時にまた、組織人事の中の各施策も方向性が一致していないといけません。

そして、事業成長のために私たち人事に課せられたミッションは、このような事業成長に向かって一貫性のある方向性を持った「良いチーム」を作ることなのです。

良いチーム作りにおいて欠かせない人事の役割

採用	ポテンシャルある人材を採用すること
育成	その人材に必要なスキルを身に着けさせること
配置	その人材が最大のパフォーマンスを発揮できる仕事とチームに割り当てること

では、良いチームはどのように作るのか。特に欠かせない役割は、上の表の通り３つあります。

まず、良いチームは何より採用からはじまります。ポテンシャルが高く、磨けば光るダイアモンドの原石のような人材が必要です。一定のポテンシャルがないとその後の育成もできません。

人事には、そのための「採用力」として、良い人材を見つけ、獲得することが求められます。この部分については本書のメインテーマですので、この後、詳しく説明します。

次に、獲得した人材に対して、仕事に必要なスキル（知識・技術・姿勢）を身につけてもらうことが必要です。これは人事の「育成力」ともいえるでしょう。

育成方法は、研修だけではありません。学び方は大きく分けて、①現場で学ぶ（ＯＪＴ）、②現場を離れて研修などで学ぶ（Off-JT）、③本人が自ら学ぶ（自己啓発）の3つです。

よく育成担当者は研修を考えたり実施したりするのが仕事と思われがちですが、本来は入社後に学ぶべきスキルに合わせて、この3つの育成方法を柔軟に組み合わせていく方が重要です。

その際、もちろん現場を離れて学ぶ研修（Off-JT）も重要ですが、学習の「70：20：10モデル」（左ページ）と言われる通り、人は実際の経験を通じて最も成長します。まさに「仕事が人を作る」です。


現場でのOJTを中心に、必要な研修機会や自己啓発機会を提供していく。これが、よくある体系的な育成施策といえます。

最後に、良いチーム作りの決め手として、本人が最もパフォーマンスを発揮できる仕事とチームを割り当てます。「配置」という機能です。

配置は英語では「アサインメント」と呼ばれ、どんな仕事をしてもらうかという「ジョブアサイン」と、誰と一緒に仕事をしてもらうかという「チームアサイン」に分かれます。

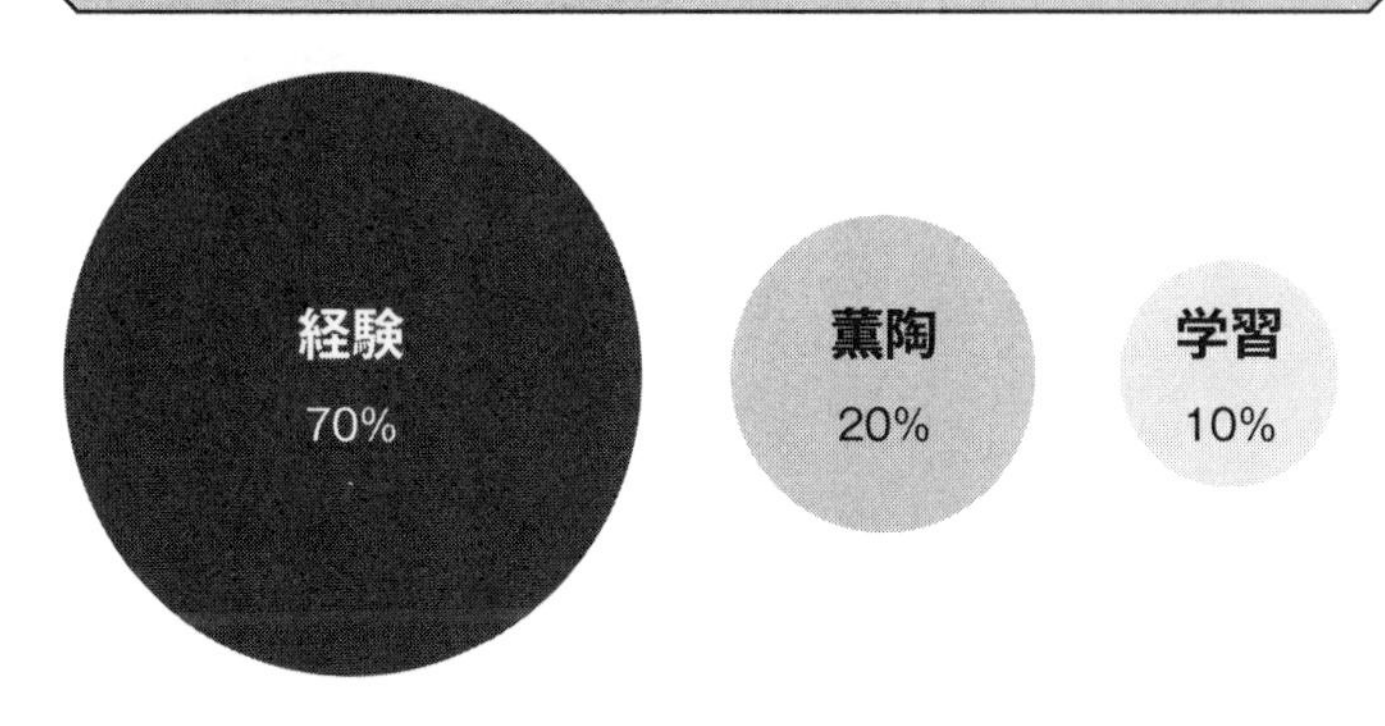

こちらもよく勘違いされますが、配置においての重要なのは「ジョブアサイン」だけではありません。同じ仕事でも、チームメンバー次第で生産性が変わることを私たちは感覚的に知っているはずです。これは古くから研究でも明らかになっており、性格的な相性を考えたチームは単純な人数の総和以上のパフォーマンスを上げられることがわかっています。

配置を担当する人事は、このようにベストなチーム編成を考える「配置力」が求められているのです。

会社の成長においては、この「採用力」「育成力」「配置力」という3つのコアスキルによって決まるといえます。

採用力とは良い人材を「集める力」×「見抜く力」×「口説く力」

そして、この3つの力の中でも、「採用力」が何よりも重要なのはいうまでもありません。なぜならば、良い人材を採用できなければ、その後の育成も配置も成り立たないからです。

よく「採用での失敗は育成や配置では取り返せない」という言葉を耳にしますが、それは「人は（特に大人になってからは）なかなか変わらない」からです（成人後の成長は十分ありえますが、若い人と比べて相対的に成長しにくい、という意味です）。

ですから、人事諸施策の中で「採用力」、つまり社外の労働市場から自社にフィットした人材を集めてくることが最も重要ではないかと思うのです。

そして、この「採用力」はさらに「集める力」「見抜く力」「口説く力」の3つに分解できます。

こと採用活動では、人を集めて（集める力）×良い人を見抜き（見抜く力）×志望度を醸成する（口説く力）のかけ算で成否が決まります。

本章の冒頭で、採用がうまくいかない理由は、「人が集まらない」「すぐに辞める（もしくは活躍しない）」「内定辞退が多い」の３つに分けられるというお話をしましたが、まさにこれらが「集める力」「見抜く力」「口説く力」に対応しています。

つまり、この３つの力を高めることができれば、現在の採用活動で抱えている悩みも解決でき、見違えるほど採用できるようになるのです。

しかし、多くの会社はここで大きな壁にぶつかることになります。

まず「集める力」は労働力市場が激減している現在では高めるのが至難の業であり、また労力や費用がとてもかかります。

また、「見抜く力」についても、採用担当者に向けた面接の質問や技術に関する本は多く出ています。しかし、そもそもあなたの会社に応募もしてこないレベルの高い人と比べて、目の前の候補者を「こんな人ではダメだ、もっといい候補者がやってくるまで待とう」などと落としまくっていては、いずれ誰も残らなくなってしまうのが現実です。

では、何の力が必要か。実は知名度のない会社や中小企業、ベンチャー企業などにおいては、最も高める努力をすべき（する効果が大きい）力は「口説く力」なのです。

目の前にいる候補者に全精力を傾けて、必要な情報を提供し、「この会社に入社しよう」という入社動機を採用担当者と一緒に醸成する。

この「口説く力」を高めることこそが、労力や費用や知名度に限界のある企業が採用上でできる最後の砦なのです。

私たちのイメージでは、知名度のない会社が、これら3つの採用力を高めるためにかけるべきパワーバラ

採用力の3つの中身

集める力	できるだけ質の良い採用候補者を集めること
× 見抜く力	自社にマッチした良い人材を見極め、発掘すること
× 口説く力	狙った人材の志望度を高め、ぜひ自社に入りたいと思ってもらうこと

ンスはおおよそ、集める力（30％）・見抜く力（20％）・口説く力（50％）程度だと考えています。

良い人材をたくさん集めるのは難しく、どんどん落とすわけにもいかないとなれば、あとは少ない候補者の中から、少しでもフィットする可能性の高い人材を口説く力を高めて、入社してもらうしかないからです。

候補者は、あなたの会社のことを何も知りません。しかも求職者にとっては、会社は選び放題です。

そんな状態で採用活動はスタートします。あなたの会社に魅力を感じてもらう「口説く力」こそ、今最も比重をかけて高めるべきでしょう。

なお、本書の構成も、集める力（30％）・見抜く力（20％）・口説く力（50％）のバランスで紙面を割いています。

現場マネージャー（リーダー）にとっても口説く力は重要

ちなみに、実はこの「口説く力」は、採用だけでなく、育成や配置などの日々のマネジメントにおいても大変活用できるマネージャーやリーダー、経営者にとってのコアスキルでもあります。

先ほど、人事の役割として育成や配置について述べましたが、そもそも人事というのは経営機能の一つであって、特定の部署（人事部）を指すわけではありません。人事をしているのは人事部員だけではなく、経営者や現場マネージャーもまた、人事の役割を担っています。

現場リーダー層の仕事は、プロジェクトや事業を進める「タスクマネジメント」と、メンバーのモチベーションを維持しながら人材育成を行い、配置を考えていく「ピープルマネジメント」に分かれます。

例えば、育成において、人事部は、年間の研修計画はどうするか、ＯＪＴのルールはどうするかなど育成体系全般を考えるのに対して、現場マネージャーはそのＯＪＴを実際に実行したり、メンバーに合わせて必要な研修を割り当てたりする役割を遂行（すいこう）します。

配置において、人事部は、誰をどの部署に配属するかといった人事異動全般を考えるのに対して、現場マネージャーは細かな実作業の分担や個々のプロジェクトへの配置を考えます。人事に関する仕事は、人事担当者だけがしているわけではありません。

このような現場マネージャーたちが十分な「口説き力」を身につけていれば、ピープルマネジメントにおいて、「この仕事はきみにとってこんな意味・意義があるから挑戦してみないか？」や「あなたの希望しているキャリアを実現するためには、こんなスキルをこの研修で身につけてはどうかな？」と、メンバーがモチベーション高く仕事に向き合ったり、能力開発に向き合ったりすることにもつながるのです。

また、現場マネージャーは一般的に面接官として採用にも関わっています。まずは採用の文脈で「口説き力」を身につけ、それを現場でのピープルマネジメントに活かせば、採用だけでなく相乗的に入社後の定着にも効果があるでしょう。

本書は基本的には採用場面での「口説き力」について書いていますが、都度、日々のマネジメントシーンに置き換えてメンバーとの対話をイメージしていただいても良いでしょう。マネージャーにとって採用活動における「口説き力」の向上は、すぐさま自身のマネジメント力を向上させることにもつながります。採用活動を現場マネージャーにも参画してもらうことで、会社全体のマネジメント能力の底上げが可能になるのです。

第2章

志望度で評価するのは超時代遅れ

いまだに「志望度で不合格にする」経営者たち

前章では、事業成長を支える人事は「採用力」「育成力」「配置力」という3つの力が必要で、中でも「採用力」は何よりも重要であるというお話をしました。

また、「採用力」とは「集める力」×「見抜く力」×「口説く力」の合わせ技で決まり、特に労力や費用や知名度のない会社においては候補者の志望度を高める「口説き力」がコアスキルであると紹介しました。

しかし、このような売り手市場の採用難時代においても、いまだに志望度で不合格にする「残念な面接官」はいろいろなところに存在します。

特に経営者は、会社に対する愛着が深いゆえにか、その傾向がさらに強いようにも感じます。経営者は、会社を船にたとえると、そのオールを握っている最高責任者です。もちろん会社へのロイヤリティ（忠誠心）も一番高いでしょうし、だからこそ、プライドがあります。

「俺の船に乗せるかどうかは、どれだけ乗りたいかという熱意で決めたい」という心理は容易に想像できます（それ自体は問題ではありません）。

また実際、就職みらい研究所『就職白書２０２３』によれば、約8割の会社が志望度を重視しているというアンケート結果もあります。

しかし、これほどまで「人不足／会社余りの時代」で知名度のない会社が、はじめから志望度でジャッジするのはもはや時代遅れと言わざるを得ません。いろいろな会社から引く手あまたである優秀な人から見れば、各社の志望度が相対的に下がるのは当たり前のことです。それなのに、「志望度を重視する」のは優秀な人を阻害することにもつながりかねません。

つまり、採用面接において自社への志望度でジャッジをするということは、「うちのことがどうしようもなく入りたい人だけを仲間にしてやろう」という上から目線の採用を暗に実行していることになるのです。

知名度が低い会社なのに「最初からどうしても入りたい人」とは一体どのような人なのでしょうか。もちろん、そんな人はなかなかいません。いない人を探しても、入社に至ることはありません。

合コンで会った瞬間「私のどこが好き?」と聞くようなもの

古いたとえですみませんが、これは恋愛でたとえるとわかりやすいかもしれません。

「なぜ、うちの会社を志望したのですか?」という質問は、「なんで私を選んでくれたの?」と同じ質問でしょう。

何度もデートを重ねたのちにプロポーズされたとき、「なんで私を選んでくれたの?」と聞く場面は不自然な問いではないでしょう。

しかし、合コンなどで初めて会った人に対して、突然「初めまして。で、私のどこが好きなの?」と聞いたら、どうでしょうか。

「いや、まだ会ったばかりであなた(御社)のことわからないんだけど……」と誰しも不気味に思うのではないでしょうか。そんな質問をするほうが野暮というものです。

　このように、「はじめから志望度の高さでジャッジする」というのは、実際にはこれと同じことをしてしまっているのです。

　ところが、こと採用面接という場面だと、いまだに「志望動機で評価する企業」があとを絶ちません。だから、面接に受かりたい候補者側の選考突破対策として、本心ではないそれっぽいありがちな志望理由を作りあげて面接に臨み、「面接官が言われて嬉しい良いこと言った人が優勝」という、いわば**「志望理由の大喜利大会」**と化しているのです（これを我々は「大喜利型面接」と呼んだりもしています）。うまいことを言う「だけ」なら誰でもできるのに、それで評価をしていては精度が落ちるのは当然です。

　また驚くことに、最初に企業側から候補者に会いたいとスカウトメディア（候補者自身が自分のデータを登録し、それを企業が検索して、意中の人にスカウトメールを送ることができるメディア。中途採用ではビズリーチ、新卒採用ではオファーボックスなどが有名）やリファラル採用（社員や内定者からの紹介による採用）で声をかけたにもかかわらず、初回面接での冒頭で、挨拶もそこそこに「それでは、当社を志望する理由を教えてください」と候補者にたずねる会社もあります。

候補者からすれば、「いや、そっちが声をかけてきたんでしょう。むしろなんで私が良いと思ったのか教えてよ」と思っても致し方ありません。

実際、このようなことをしてしまう企業は面接後の辞退率も高いようです。最悪の場合、転職の口コミサイトに〝スカウトされたのにいきなり志望動機を聞かれた……〟と書かれてしまうことになり、さらにレピュテーション（評判）を落とすことにもなります。多くの場合、「スカウトメール」を受け取った人は、その会社の評判を口コミサイトなどでいったん確認してからそのスカウトを受けるかどうかを判断します。ですから一度このような口コミを書かれると、スカウトを受け取ってくれる人さえいなくなってしまうでしょう。

ちなみに、採用選考プロセスのはじめのうちから自社への志望度の高さでジャッジするのはこれまで述べてきたようにNGですが、「どんな基準で会社を選んでいますか？」と一般的な選社基準を確認するのは、問題ありません。

同じように見えますが、志望理由と、選社基準は似て非なるものです。「あなたのことが本当に好きかどうかはまだ分からない」という人でも、「こんな人が自分のタイプだな」というのはあるでしょう。

もし1次選考からたずねるのであれば、まだ自社を志望してくれているのかはわからないので「なんで私？」＝「なんで自社？」という理由を聞くべきではありません。

その場合は、**「どんな人がタイプ？」という一般的な選社基準を確認するようにしましょう。**

選社基準であれば、こちらからスカウトした人であってもはじめからたずねても、候補者にとって違和感はありませんし、これをジャッジする基準にしても問題ありません。

例えば、候補者が「どんなに激務でもいいから、20代のうちに１０００万円稼げる会社」を転職する会社の基準としていた場合、自社が「20代平均給与は４００万前後、残業もほぼなし、どちらかというとゆっくり着実に育ってもらう」という人事方針であれば、「候補者の選社基準と自社が提供できるものが合致していない」と判断できるでしょう。

志望度は採用担当者が高めるもの

そもそも、なぜ多くの会社は志望度でジャッジをするのでしょうか？

この背景には、「うちへの志望度が高い人は優秀な人。志望度が低い人は優秀でなく、うちには適さない人だ」という素朴な信念があると思います。正直に申し上げますと、私たちも昔はそう思っていたこともありました。

しかしこれは本当でしょうか？

第1章で見てきた通り、昨今の求人倍率は高止まりしており、売り手市場で求職者にとっては楽に就職ができる状況です。

となると、就職に焦る必要がないため、就職活動量自体が減っていきます。実際に、新卒の一人当たり平均プレエントリー社数や適性検査の受検社数、面接数などは徐々に減っています（就職みらい研究所『就職白書２０２３』）。

つまり、前にも述べましたが、優秀な人ほど「引く手あまた」で、結果として個々の会社への志望度は相対的に低下している可能性が高いのです。

一般的に、候補者はより採用ブランド力の高い人気企業や有名企業、大企業への志望度の方が高くなるのは当然のことです。そして優秀な人であれば、そういった採用ブランド力が高く、採用倍率も高い企業でも採用される可能性が高ければ、そちらに行ってしまう可能性が高いのも当然です。

またスカウトメディアなどでは、自社より採用ブランド力の高い企業から声がかかりやすくなるわけで、相対的に自社に対する志望度は低くなります。

だからこそ、企業成長に貢献する優秀な人材を採用したいのであれば、志望度は採用側こそが高めていかなければなりません。

つまり、はじめのうちに志望度の低い人から落としていくのは、優秀な人から先に落としていくのと同じです。

志望度は評価するものではなく、採用担当者が高めるものなのです。

先ほど挙げた「志望度が低い人は、うちには適さない人だ」という心理は、恋愛において置き換えると、本当は好きなのに、相手が一向に振り向いてくれないから、「あの人は私に見合わないダメな人だ」と思う心理と同じです。

これは「すっぱいブドウ理論」と呼ばれる心理学の理論です。精神分析学の祖、フロイトがイソップ童話の「狐とブドウ」から取ったもので、自分が傷つかないため、自我を守るために自分が手に入らないものは価値が低いと思う心の働きを指します。狐が何度飛びかかっても取れないブドウをあきらめて帰る際に「どうせあのブドウはすっぱい」と呼んだ心理です。

この「すっぱいブドウ理論」に支配され、「うちの会社に入りたいと熱心に思っていないあいつは、能力がきっと低いに違いない。だから採らなくて正解だ」と考えてしまうわけです。

志望動機を聞くのは最終面接だけでいい

もちろん選考の最後の最後には、志望度で合否を決めるというのは問題ありません。

最終面接の候補者たちは、能力的に粒ぞろいで、性格も文化風土にフィットしている人が多いはずです。同じ能力・性格なら、より自社を好きで自社でモチベーション高く頑張ってくれる人の方が良いでしょう。

実際に１次面接や２次面接までは志望度は一切ジャッジせず、経営者が担当する最終面接のみ志望度をジャッジに使う企業もたくさんあります。

企業の採用選考において、初めのうちは集まった人材の質はバラバラです。自社にマッチしている人もいれば、まったくマッチしていない人も種々雑多にいます。

これが１次選考、２次選考、３次選考、最終選考と選考を経るごとに、人材の質が粒ぞろいになってきます。最終選考にまで上り詰めた人材は、ほぼ全員自社にマッチしている状態といえるでしょう。

ただ、企業には採用予定数があるため、全員を採用することはできません。何らかの基準でふるいにかけなければなりません。そのときにジャッジする基準が、志望度なのです。最終段階になって「なぜその会社がいいのかわからない」と答える候補者がいたとしたら、頑張ってもらえるのかわからず、怖くて採用などできません。

選考に伴う自社へのマッチング度

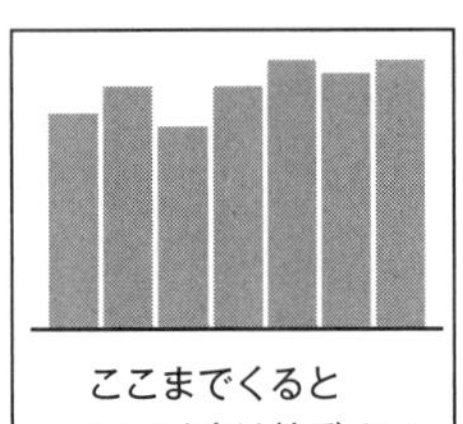

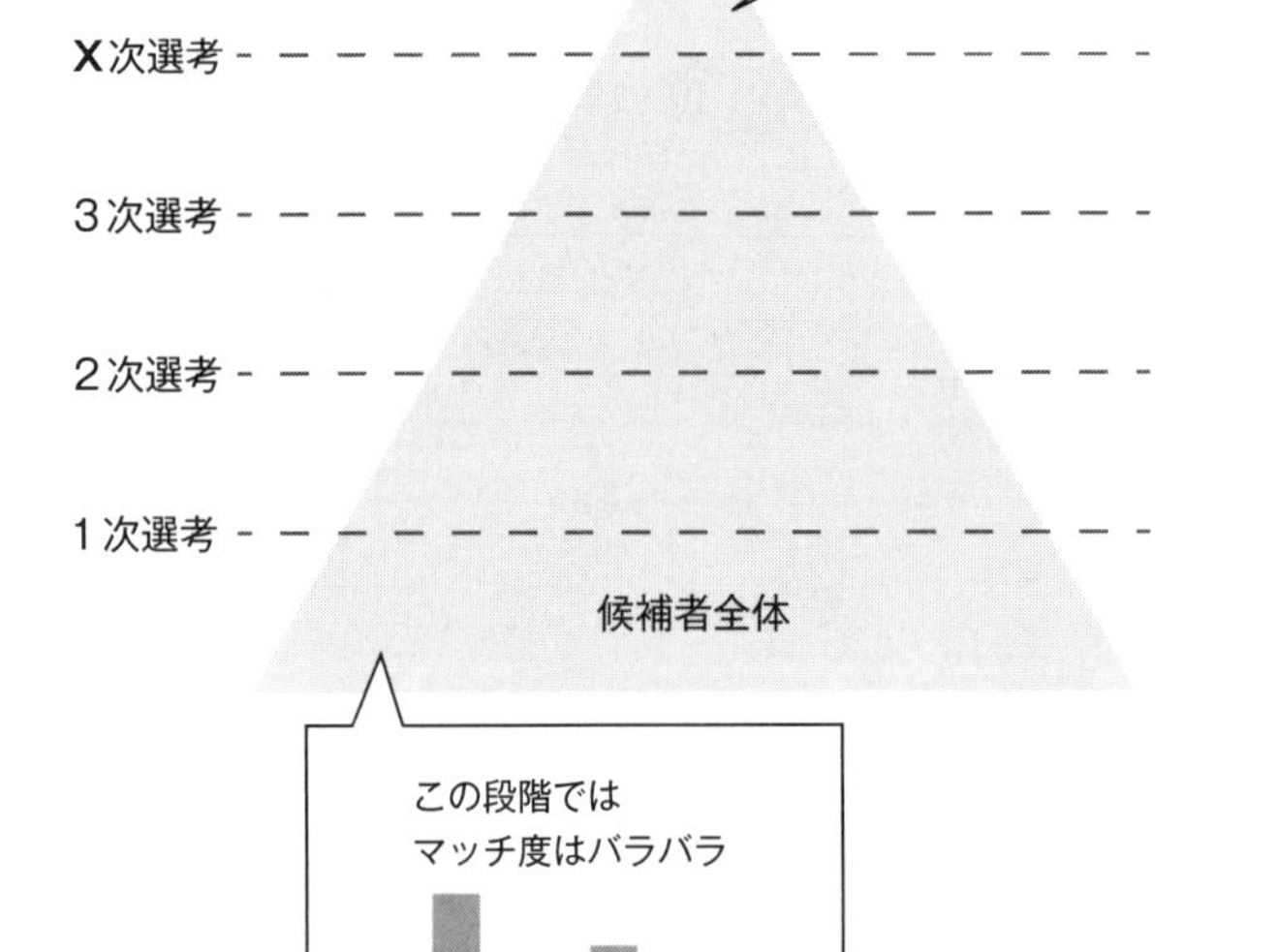

「自分よりいいやつを採れ」

また、「志望度が低い人」というのは、採用担当者からすれば、どこか自信満々に見えて謙虚さがなく、ともすれば「生意気なやつ」「調子に乗っているな」と思われがちです。人は自社を志望してくれる人を好ましく思う一方、志望していない人を疎ましく思うものです。

しかし、「御社に入れなかったら、もう私ダメなんです」と切羽詰まった「溺れるものは藁をも掴む」という状態の候補者よりも、「御社に入れなくても、私は他にも行くアテはあります」と余裕のある候補者の方が、優秀で引く手あまたの可能性が高いのです。このあたりも恋愛と同じことかもしれません。

そんな彼らの高いポテンシャルを見抜き、「すっぱいブドウ理論」に支配されずに、「何としてでも振り向かせてやる！」と志望度を上げることができたら、今後の会社を救う救世主になるかもしれません。

リクルートでは、採用基準として**「自分より優秀なやつを採れ」**と採用担当者や面接官たちに伝えられていました。創業者である江副浩正氏の言葉です。面接官からすれば、自分より優秀だと思う人材を積極的に採用するのは、人の性として心理的に抵抗があるでしょう。自分を追い抜いて、自分の立場を失うかもしれないという恐怖ゆえに、まさに各々が「すっぱいブドウ理論」を乗り越えなければ実現できないことでした。

しかし、その採用方針がなければ、今のリクルートのような事業成長はなかったように思います。よく「B級人材は（自分より下を見て安心するために）C級人材と働きたいと思う。しかし、A級人材はA級人材と一緒に働きたいと思う」と言われることと同じで、自分を脅かすくらい優秀な人材を採用してきたからこそ、成長に伴って人材の質が低下することがなかったのです。

一見、生意気に見えるが、だからこそ全力で口説く。

この逆張りともいえる採用術こそが、第1章で述べた企業成長を支える人事に必要な「採用力」の正体です。

求職者側に聞いても、例えば新卒において、入社を決めた会社には就職活動当初から志望度が高かったわけではなく、徐々に高まっていったことがわかります（60

ページ）。読者の皆さん自身の就職や転職活動を思い出してみてもそうではないでしょうか。

繰り返しになりますが、「志望度は評価するものではなく、採用担当者が高めるもの」です。

超人気企業でも「攻めの採用」をしている

これまで述べてきた「優秀な人ほど志望度は低い」や「志望度は評価するものではなく、採用担当者が高めるもの」という法則は、中小企業やベンチャー企業だけではなく、実は有名企業や人気企業にも当てはまります。

待っていてもエントリーがたくさん集まる採用ブランド力の高い有名企業や人気企業は、一見生意気に見える候補者はいないし、口説くのも楽なんじゃないか、と思われるかもしれません。

しかし、採用ブランド力も相対的なもので、人気企業のライバルは同じく人気企業です。

新卒就活生の志望度が高まった時期
（就職みらい研究所『就職白書2023』より）

4月から働く予定の会社は
いつから志望していましたか？

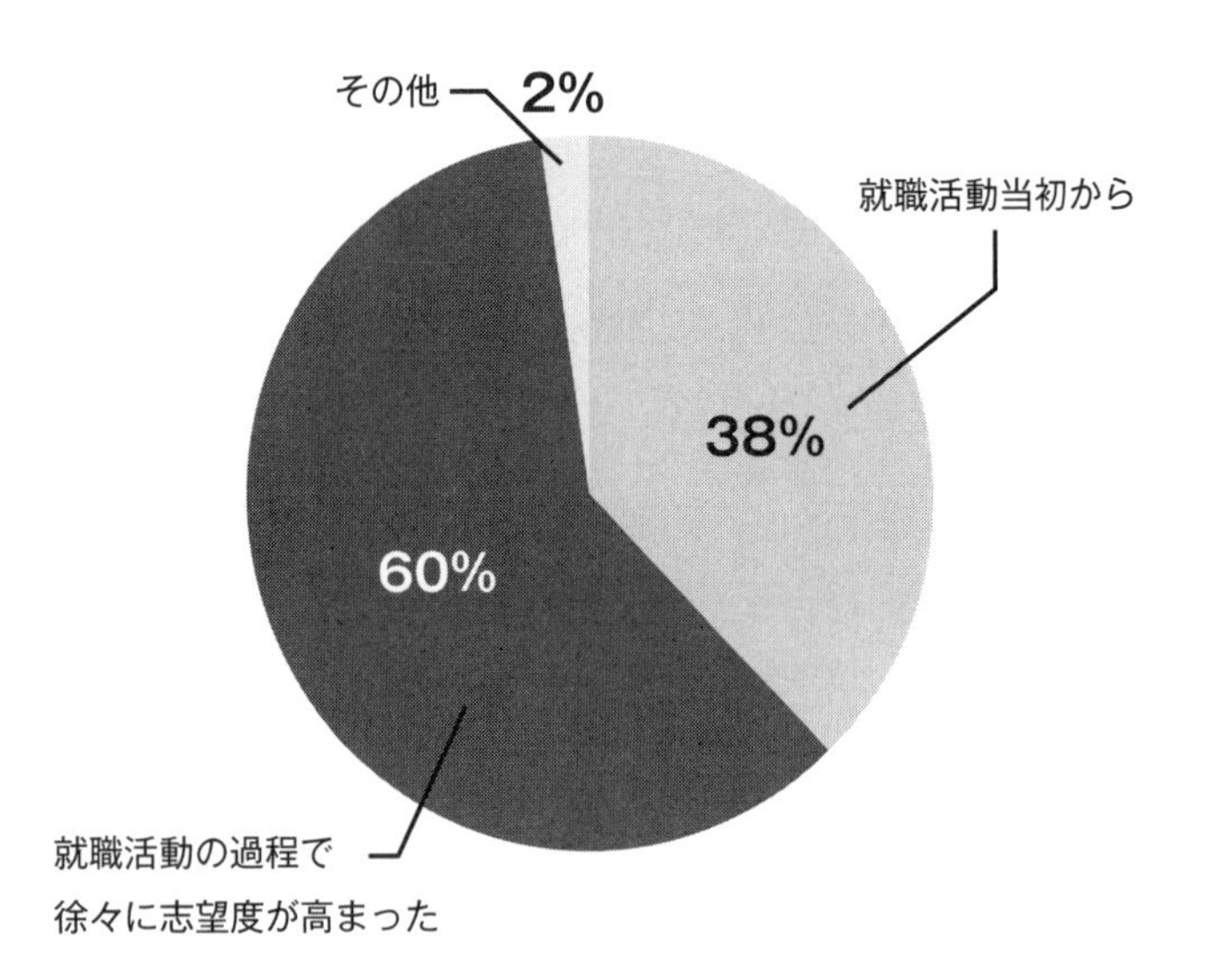

例えば、グローバル企業であるトヨタ自動車が採用したいターゲット層は、他にGoogleやマッキンゼー、ゴールドマンサックスなどを受けている人たちだったりします。

そのため、自社が人気企業であったとしても、ナビサイトへの求人掲載で応募を待っているだけではなく、企業側からほしい人材を探し、スカウトする「ダイレクトリクルーティング」を本気で行っています。全力で口説いて、採用担当者が志望度を高める努力をしているのです。

他にも、誰もが知っているあるアメリカの大手ＩＴ企業は、10年ほど前までは日本支社においては全採用チャネル（採用者の応募経路）を人材紹介にのみ頼っていました。しかし、現在はダイレクトリクルーティングに切り替え、なんと採用チャネルの約８割はダイレクトリクルーティングになっているそうです。

つまり、ほぼこちらから声をかけて採用しているのです。

このように超人気企業であっても「攻めの採用」をしています。むしろそうでないと今後のビジネスで勝てないとわかっているのでしょう。企業によってほしい人材が異なるため、大企業でも中小企業でも、人気企業でも知名度のない企業でも条件は同じなのです。

この「攻めの採用」を私たちは「分不相応の採用」と呼んでいます（これもリクルート創業者江副氏の言葉だそうです）。自社の採用ブランド力で来る人材以上の人を獲得しようと一生懸命もがくからです。

知名度のない会社は、そもそも自社の採用ブランド力のみでエントリーを期待することは難しいです。大企業、有名企業ですらこの「分不相応の採用」に取り組んでいるのです。知名度のない会社こそ、この採用を目指すべきでしょう。

内定辞退率は高くてもいい

「志望度は、評価するものではなく高めるもの」ともう一つ、あなたの認識を変えるべき常識があります。

それは、「内定辞退率は低ければ低いほど良い」という常識です。しかし、自社の採用ブランド力で来る人材以上の優秀層を分不相応に採用しようとするならば、「内成功指標）にはなりません。

「内定辞退率」というのはもはや、採用活動のＫＰＩ（Key Performance Indicator：最重要成功指標）にはなりません。

「分不相応の採用」という攻めの採用をすればするほど、採用競合はどんどん強くなります。そして、これまで振り向いてくれなかった人を振り向かせようと必死に努力する過程では、内定辞退する人の割合はどうしても高くなります。

だから、頑張れば頑張るほど「内定辞退率」は高くなるのです。

私たちはこれまで人事コンサルティングをしていく中で多くの悩める採用担当者へ、「分不相応の採用（攻めの採用）」をおすすめしてきました。

このようにおすすめすると、「おっしゃる通り、攻めの採用をする必要性はわかってはいるが、それを実行すると引く手あまたな優秀な人にアプローチすることになるから、内定辞退率は上がりますよね。それだとうちの経営陣は評価しないでしょう……」という嘆きの声を耳にしました。

おそらく、そういう企業の経営者は「内定辞退率が低い＝採用成功を表す指標」と考えているのかもしれません。採用活動の細かいプロセスを知らなければ、そう考えても仕方ないかもしれません。確かに内定辞退率は、もちろん低ければ低いほうがいいでしょう。しかし、実は数字だけでは評価してはいけないものです。なぜなら、内定辞退について重要なのは、率の高低でなく、中身が重要だからです。

実は、内定辞退率を下げようと思えば簡単にできます。

志望度の高さでジャッジをし、自社のファン層だけ採っていればいいのです。どの会社も手を出さないようなレベルの人材を好んで採用していけばよいのです。また、ファン層だけが選考に残るように「踏み絵」的に面倒くさい手間のかかるハードル（手書きの履歴書や、長時間のイベントへの参加などを要求するなど）を連発すれば良いのです。そうすれば、優秀な人は「そんな面倒な会社は辞退しよう」と去っていき、残った人から面接すれば、めでたく内定辞退率は下がることでしょう。

ある意味、楽な採用といえますが、本当に経営者はそのような採用を望んでいるのでしょうか。私たちには、それはわかっていないだけで、経営者はこの実態を知れば「いや、そんなつもりで内定辞退率の高さを問題にしたのではなかった」と言うのではないかと思います（実際、経営者とお話しすると多くの場合そういう結論になります）。

分不相応の「攻めの採用」を行うと、敵である採用ライバルも強いため、それだけ辞退率は当然ながら高まります。しかし、それはある意味、成功へと近づいている証です。優秀な人材を採用するには、当然、優秀な人材に会わなければなりません。しかし、優秀な人材に会ってしまうと辞退率が高まる、それだけのことです。

結局、内定辞退率は数字だけでなく、「どこと戦って負けたのか」が重要です。

競合他社の見方としては、例えば同規模の同業他社しか競合がいない場合は、あまり攻めていないかもしれません。候補者は「数多ある会社のうちの一つ」として「ついでに」自社を受けた可能性が濃厚だからです。そしてこの場合、追いかけている候補者に業界順位で上位の会社に内定が出れば、勝つことはほぼ無理でしょう。

一方で、異業種のリーディングカンパニーなどと競って負けたのであれば、内定辞退率が高くとも落ち込む必要はありません。

「強い敵を見て、攻め、負けて前向きに倒れる」という苦い経験をし続けていると、採用力はメキメキと上がっていきます。

そうすれば、いつか**「下剋上（げこくじょう）」「ジャイアント・キリング」**が実現できるでしょう。

「ジャイアント・キリング」というのは、聖書のダビデとゴリアテの話に由来する言葉で、弱き者が強き者を番狂せで倒すことです。

実は、私たちの会社も採用ブランド力こそ低い無名の会社ですが、実際に分不相応の採用をテーマに「攻めの採用」を続けています。その結果として、新卒採用で外資系大手コンサルティングファームを蹴って、当社に入社を決めてくれた方もいました。

この瞬間こそが、採用担当者冥利（みょうり）に尽きると考えています。むしろ、ジャイアント・キリングが生じず、自社の採用ブランドに相応のレベルの人材しか採用できないのでは、採用担当者の介在価値はどこにあるのでしょうか。

それでは、次章以降、「ほしい人材を集め、見抜き、口説く」ための具体的な採用術を紹介していきましょう。

第3章

ほしい人材を「集める」ための採用術

まずはターゲットを明確に

「ほしい人材を集め、見抜き、口説く」ためにまず行うこととは何でしょうか。

当たり前かもしれませんが、「どんな人材がほしいのか」、**つまり求める人物像（採用基準、採用要件などともいいます）を明確に具体的に決めることです。**

ところが、意外とこれすらも守られていない会社は多くあります。

決めているつもりでも、「コミュニケーション能力が高い人」「挑戦心のある人」など何とでも多様に解釈できる基準では、実際には決めていないのも同然です。

そうした基準で採用活動を行うのは、「下手な鉄砲も数撃ちゃ当たる」で、ただやみくもに採用広告を出したり、会社説明を行ったりするようなものです。

しかし、これではじめから全く自社にマッチしていない人までも大勢集めるだけで、その後の選考でふるいにかけなければならず、かえって負担が大きくなるだけです。

候補者にとっても、せっかく時間をかけて職務経歴書やエントリーシートを丁寧に作成したにもかかわらず、言葉は悪いですが、初めから「足切り」のようにバッサリ落とされてしまうことになります。

候補者は「自分が最初からターゲットじゃないなら、はじめから言ってほしい」と思い、うんざりするでしょう。

また、そのような無鉄砲なやり方を行う会社の求人コピーもどこにも刺さらないふわっとしたものとなり、結果的に自社にぴったりの人は応募しない可能性もあります。

では、どうすればいいのか。

採用活動の候補者集めは、マーケティングと同じだとよくいわれます。

つまり、まず誰に一番刺さってほしいのかを明確にしないといけません。

そして、ターゲット、「求める人物像」に一番刺さる訴求ポイントを想像して、採用広告の打ち出し文や会社説明などで伝えるメッセージを工夫するのです。

求める人物像自体はすでに決まっていて、面接などでジャッジするときに選考基準として使っている会社は見かけますが、候補者集めの時点から意識している会社はまだまだ少ないです。

ですから、私たち筆者は「全然候補者が応募してこない／集まらない」と嘆く企業に対しては、まず、「ほしい人材をきちんと定めて、**集めることができたら、書類選考で足切りするのではなく、できるだけ全員に会う**」という土台となる方針をしっかり決めるようおすすめしています。

両者の時間的なロスをなくすためにも、むやみやたらと募集するのではなく、まずどんな人材がほしいのかを決め、それに従った訴求を行いましょう。

求める人物像は「現実」と「理論」の両面から考える

では、求める人物像はどうやって定めるのでしょうか。

会社によって異なるのは大前提として、一般的に「自社で活躍する人材はどんな能力を兼ね備えているか」という人材要件を軸に考えていきます。

具体的な方法はさらに2つに分かれます。

1つは紛れもない**「現実」から導き出す方法**、もう1つは確立された**「理論」か**

ら予想する方法です。

１つ目に挙げたのは目の前の事実から帰納法（きのうほう）で考える方法です。

実際に現場で活躍している人（新卒採用なら入社数年目の好業績者をモデルとし、中途採用なら、その職種で活躍していた／いる人などをモデルにします）を見つけ出し、彼らの行動や思考・性格を元に求める人物像を考えます。最初のうちは抽象的でも構いません。徐々に具体的なイメージを作っていき、後に述べる「ペルソナ」にまで仕上げます。

この方法は、まさに「過去に活躍してきた人」や「今、活躍している人」の特徴を抽出して決めるため、多くの人が日々好業績者の特徴として目にしている、紛れもない「現実」です。その分、「確かにあの人はそういう特徴があるよね」と多くの一緒に働いている社内の人にとっては説得力もあります。

ただし、この方法には気をつけるべき落とし穴があります。

実際に活躍している社員に「うちの会社では、どんな人が活躍すると思いますか？」とインタビューをしても、必ずしも彼らが言っていることと普段行っていることは同じではない可能性があるということです。

かの長嶋茂雄（ながしましげお）が、少年野球教室にて指導する際、「球がこうスッと来るだろ。そこをグゥーッと構えて腰をガッとする。後はバッといってガーンと打つんだ」と言ったことは有名な話です。つまり「プロは、自分がなぜプロであるか、うまく説明できない」ことがあるのです。

できることと教えられることは別なのです。

本来プロと呼ばれる方々は「無意識」かつ「自動的」に高度な技能を発揮できます。むしろ、細々とした動作をいちいち意識しながら行っているようでは熟達者とはいえません。

だから、いくら成果を出し続けているスーパー社員でも、自分の普段のふるまいや所作について意識的な人は少ないでしょう。また人事社員でもない現場の社員に、突然インタビューと称し活躍する人の特徴について聞いても、いつもその表現について考えているわけではないので、正確に言語化できることの方が少ないでしょう。

もし、その道のプロである社員に直接聞くのであれば、**「意見」ではなく、実際に日々何をどのように行っているかという「行動」を中心に聞くようにします。**

接客業や医療従事者など現場職であれば、実際に現場に同行させてもらい、行動観察をするのも有効な手段です。

そうすれば、好業績者が「思っていること」ではなく、「実際にやっていること」がわかります。これであれば紛れもない事実なので、それをもとに求める人物像を作成していっても問題はありません。

その他にも、定量的に性格や能力を可視化できる適性検査のデータを統計的に処理して特徴を抽出することで、活躍社員に共通した資質を見るのも有効な帰納的方法といえるでしょう。

このように、帰納的方法で進める際の方法はいくつか存在しますが、それでも避けられない落とし穴があります。

それは、帰納的方法はあくまで「これまで」の事実から導き出されているということです。つまり、今後も同じような人材が活躍するとは限らない、のです。

特に、変化の激しい現在のビジネス環境では「今日正しいことが明日も正しいとは限らない」状態です。物事はすぐに陳腐化してしまいます。

時代の波に乗るために事業の方向が突然１８０度変わることもあります。この点を踏まえると、様々な事実から特徴を抽出して求める人物像を考える帰納的方法は事実ベースではある一方で、短期的視点に基づいたものといえます。

そこで、長期的視点から求める人物像を考える方法が、2つ目の「理論から考える演繹(えんえき)的な方法」です。

これは「うちの営業スタイルを踏まえたら、こういう性格の営業職が活躍できそうだ」と事業・仕事の特性ベースで考えたり、あるいは、すでに確立された理論に基づいて「リーダーにはこういった特性が必要そうだ」「こんな職種にはこんな資質が求められるだろう」と考えたりする方法です。

例えば、適職診断として活用される古典的な理論の一つ**「RIASEC」**（ホランド氏による理論）は、様々な職種に適したパーソナリティ（性格や基礎的な能力）を示しています。

これらはある意味、未来予想的に求める人物像を決める方法です。まだそういう人は社内にはいないかもしれませんが、「こういう人も、もしかすると活躍できるかもしれない」と考えるのです。

演繹的方法は、これまでの事実に縛られることがない反面、あくまで推論であり、究極的には、この方法で決めた求める人物像が本当に自社で将来活躍できるかは現時点ではわかりません。

ただし、「RIASEC」をはじめ、現在まで残る有名な理論は、これまで厳しい批判的検証に耐え抜いているため、その分、妥当性も高いです。

また、自社が新たな職種を追加する際には、既存の職種の人材を分析する帰納的方法はそもそも使うことができません。昔、筆者（曽和）がリクルートで採用担当をしていたときに、紙からインターネットへ時代が移り変わる時代で、これまで職種としてほとんど存在していなかったITエンジニアを採用する際、どんな人がいいのかを帰納的に考えることはできませんでした。

そういうときは、新職種の仕事内容を分解して必要な能力・性格を抽出してみたり、他社の同じ職種の事例を見てみたりなど、演繹的に求める人物像を抽出するほうが、より妥当性が高いかもしれません。

例えば、ITエンジニアはいなくとも、同じ「専門職」で活躍していた人の特徴（研究者など）を分解すると、ITエンジニアにも当てはまりそうなものを考えることができるかもしれません。また、競合のWEBサービスの企業の採用ホームページの募集要項などを見て参考にしてみたりするのも良いでしょう。

このように帰納的方法と演繹的方法のどちらにも、メリット・デメリットがあるため、両面から考えるようにします。

過去の実績にも基づき、同時に未来志向でもある、より妥当性が高いものができあがるでしょう。

求める人物像を決める２つのアプローチ

演繹(えんえき)的アプローチ		帰納的アプローチ
推定にすぎない	⇔	事実である
理想的	⇔	現実的
長期的視点	⇔	短期的視点
全体最適	⇔	個別最適

求める人物像は一つじゃない——人材ポートフォリオを作る

こうした話をした際、よく、

「では、求める人物像を『新卒で一つ』『営業職で一つ』にしないといけないのか」と誤解されることがあります。

しかし、求める人物像は一つとは限りません。

というのも、本来、会社が「一つの能力・人格」をもって事業を進めることはないからです。様々な能力や性格をもった複数の人材が、お互いの得意・不得意を補いつつ、仕事を進めるはずです。

これは職種単位でも同じことがいえるでしょう。

例えば「営業」という職種も、既存の営業手法（例えば、特定顧客へのルート営業等）を堅実に守る保守型営業マンと、新しい営業手法を常に模索していく拡散型営業マン（例えば、新規開拓の飛び込み営業等）がいます。営業部という部署の中でも、いろいろな手法を使う社員がいるはずです。

このように何らかのセグメント軸で人材を分類したものを**「人材ポートフォリオ」**と呼びます。

ポートフォリオとは直訳すると「書類入れて運ぶケース」のことですが、転じて、芸術系では「作品集」、金融系では「資産の組み合わせ」、教育系では「個人の評価や活動記録」などとして使われ、人事の世界では企業が事業戦略を達成するために必要な「理想の人材分布」として使われる用語です。職群、グレード（等級）、雇用形態、パーソナリティ、年齢、地域などなど、分類軸は多様です。

求める人物像は本来一つではなく、ポートフォリオで複数存在するのがふつうです。

よく、先ほどの帰納的方法を使って、現場の活躍社員にインタビューすると、「明るく素直で元気よく、どんな高いハードルを与えてもやりきり、チームのメンバーとの協調性もあって、それでいて競争心もあって切磋琢磨（せっさたくま）できる人で……」といった、「スーパーマン社員」が求める人物像になってしまった、ということがよくあります。

こうした失敗はなぜ、起きてしまうのか？

これは、「求める人物像」のすべての要素を、一人の人物に求めてしまっているためです。

このような事態を防ぐために、**「どんな人材が何割ずつぐらい自社・事業・仕事に必要か」をマッピングする人材ポートフォリオ（80ページ）で採用ターゲットを考えるようにしましょう。**

ターゲットが分かれば、それぞれ刺さる訴求ポイントも変わってくるはずです。

入社後に育成できる力は採用時には要らない

求める人物像を考える際に大切なポイントがあります。

求める人物像、つまり人材要件とはいわば、「その仕事において必要な能力をすべて列挙したもの」ですが、本来、採用と入社後の育成は同じ延長線上にあり、採用だけでその人材要件をクリアする必要はないはずです。

本書を編集していただいている編集者の方も、出版社の編集者の世界も同じと

人材ポートフォリオの例
（セグメントを会社や事業においた場合）

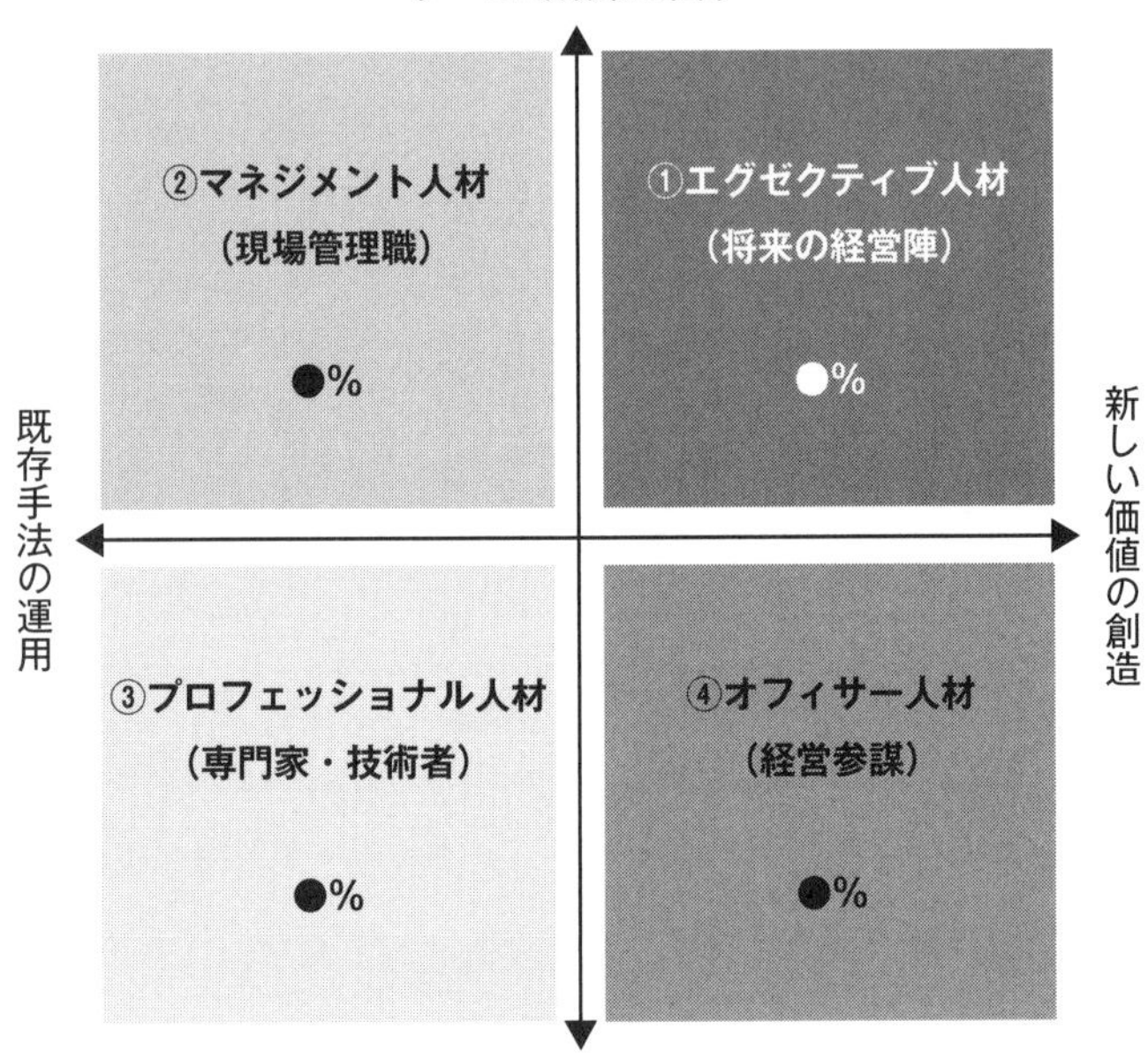

おっしゃっていました。よく未経験から出版社で編集者の世界に入りたい方たちが面接前に、赤字の入れ方（校正記号）とか、印刷など「本のつくり方の工程」とかを勉強している様子を見るのですが、出版社側は、入社後にやりながら身につけられる知識ではなく、「企画の立て方・考え方」「本を作りたい意欲」「どんな人脈をもっているのか」に注目しているということです。

このように、入社後に育成できることは、採用基準に含める必要がありません。例えば、マナーや専門的知識（研究職のようなその道のプロフェッショナルでないといけないような職種は別です）などは、入社後でもいくらでも間に合います。数的能力や頭の回転の速さ、単純な記憶力などは、入社後すぐに伸ばすのは厳しいですが、文章力や話す力、創造性や洞察力などのような経験がものを言うような能力も入社後でもよい（あるいは入社後にしか獲得できそうもない）ともいわれています。

それにもかかわらず、多くの会社では、「求める人物像（人材要件）＝採用基準」となっており、採用基準がやたらと多い状況が見受けられます。採用基準が多いということは、そのすべてを兼ね備えたスーパー人材のみ合格とできる、ということです。

採用市場全体の中で、これらすべてを兼ね備えた人材はどれくらいいるのでしょうか？

本来、求められる能力が多くなればなるほど、そういった人材は必然的に少なくなります。また、わかりやすい高度プロフェッショナル人材は、他社も同様に狙っており、必然的に「引く手あまた」で競争率が高いのは間違いありません。

このように採用基準が多ければ、採用はどんどん難しくなります。

そのため、採用基準は、**「最低限入社時に持っておいてほしいこと」のみを設定し、できる限り少ないほうが採用を有利に進めることができます。**

採用基準とすべきものは、例えば「他者に対する基本的信頼感（ベーシックトラスト）」や「自己認知能力」など、すべての能力の土台となっている基本的な力などが挙げられます。

その他、現実的には自社で育成する「機会」がない要件、または育成する「時間」がない要件を採用基準として、あれもこれもとせずにできる限り少ない採用基準を設定するのがポイントです。

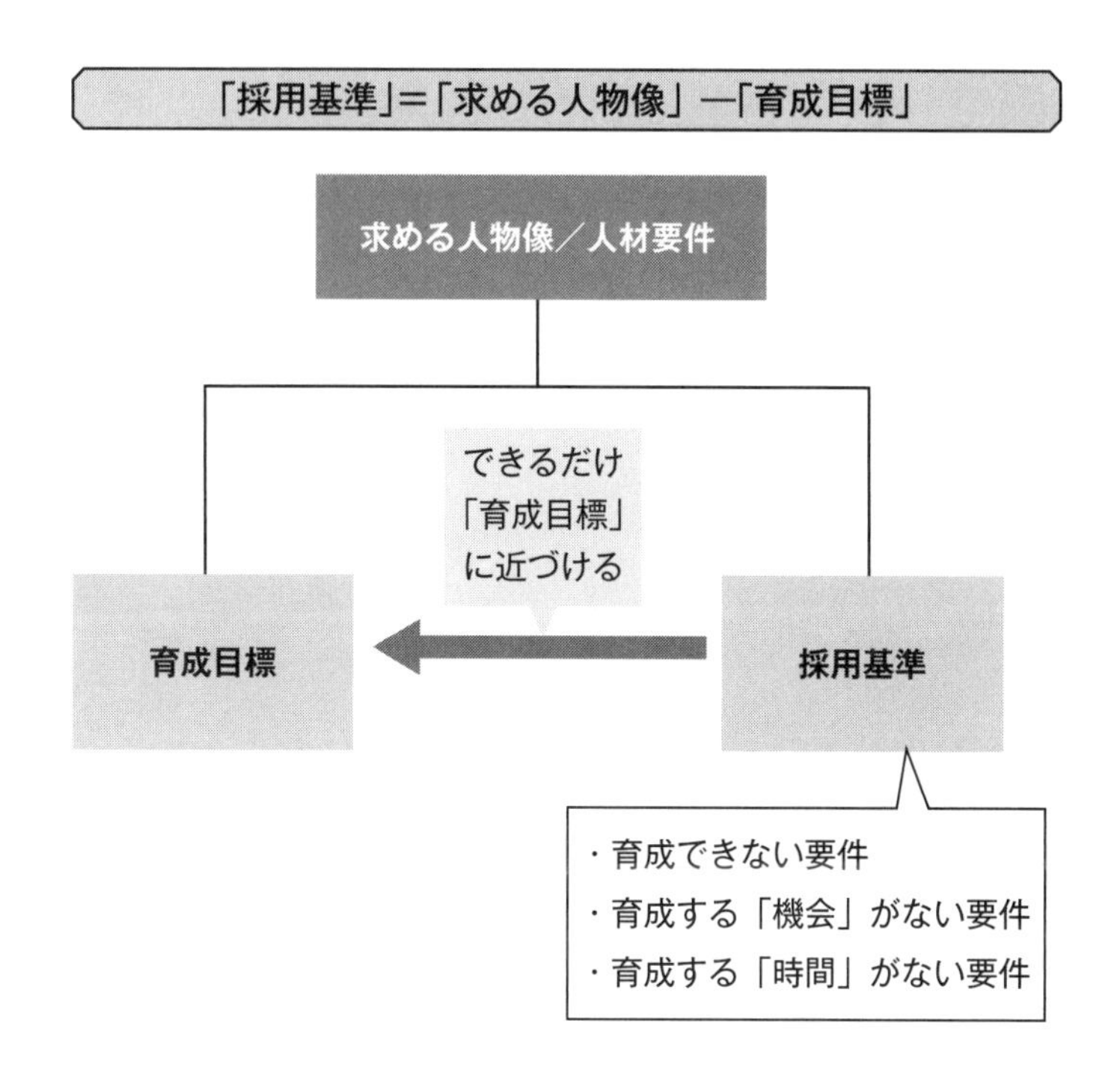
「採用基準」=「求める人物像」ー「育成目標」
求める人物像／人材要件
できるだけ
「育成目標」
に近づける
育成目標
採用基準
・育成できない要件
・育成する「機会」がない要件
・育成する「時間」がない要件

「求める人物像」から「採用ペルソナ」を考える

さて、ここまでの方法で想定した求める人物像ですが、これを候補者集めに活かすためには、もう一工夫必要です。

そもそも、様々な会社の採用ホームページで、「求める人物像」として公表されているものをみると、次ページのように要素の集合になっていることが多いです。これは各要素が抽象的なコンセプトレベルで示されているため、何がどれくらい必要なのかがわかりやすく、面接時の評価シートなどではそのまま使えるというメリットがあります。

しかし、これでは実際にどんな人物が当てはまるのかイメージするのは難しいのではないでしょうか？

ここから、さらによりいきいきとした、みずみずしい人間像をイメージする**「ペルソナ化」（キャラクター化）**という手順を踏みます。

「ペルソナ」とは元々、心理学用語の「表面的な人格」から転用されマーケティン

採用基準の例

側面	項目
専門スキル	●変化の際、必要な能力を持つ人材・機能を確保できるようにいつでもアクセス可能な多様で広い人的ネットワークを保持 ●プロジェクトマネジメント力
基本スキル（対人・対課題）	●その時々の戦略に対して過去にとらわれないゼロベース思考で最適なプロセス・体制を設計することができる
バリュー（性格・態度/志向・価値観）	●組織内での中核メンバーになることにモチベートされる ●後進の育成に力をいれ、組織の成長に執着する ●生き残ることに対する執着心が強い

グの領域で、「商品・サービスの典型的ユーザーイメージ」として使われるようになったものです。

最近では、採用シーンでも、ターゲットのより具体的な架空の人物像を指すようになりました。

これを採用シーンにも転用すれば、関係者間で共通認識が生まれます。

想定した人物像はどんな人？　どこで何をしている？　どんな経験を持っている？　今の環境ならどんな就職活動を行う？　とイメージをふくらませることができます。そして、適切な採用プロセス設計や、採用選考基準を作ることができます。

例えば、先ほどの例を元にペルソナ化してみましょう。

まず、ペルソナには2つの側面があります。

1つは「外的特性（デモグラフィック）」による分類、もう1つは「内的特性（サイコグラフィック）」による分類です。具体的にそれぞれどのようなものかは88ページの表をご参照ください。

このそれぞれの項目について、「こうではないか、ああではないか」と拡散的に（一つに決めるというのではなく、「こういう人もいそう、ああいう人もいそう」と広げる）アイデアを出し合い、いくつか典型例を作っていきます。

このようにペルソナを描いていくと、どの媒体を使って候補者集めを行うべきか、その際に打ち出す訴求ポイントは何か、などが浮かんでくるはずです。

ペルソナに基づいて「そういう人であれば、こんな場合どうするのだろう」と想像することを「能動的想像」と呼んだりします。人間の頭は不思議なもので、キャラクターを作ると、場面設定をすれば想像の中でキャラクターが動き始めます。

例えば、採用基準のペルソナがドラえもんの「のび太」だとします。のび太が、道に落ちている千円札を発見したら、どうするでしょうか？

これは一つの例ですが、のび太なら周りをキョロキョロ見渡して、誰もいないのがわかると一度はその千円札を取ってポケットにしまうのではないかと思います。しかし、元来善人な彼はすぐに後悔し、ドラえもんに相談して一緒に交番に届けに行くのではないか……。このような想像がふくらむでしょう。

このように、ほしい人材を集めるにあたっては、「ペルソナ化」は必須です。

外的／内的特性による分類例

「外的特性 (デモグラフィック)」による分類

- 性別
- 地域（関西・東北・四国…)
- 居住地の特性 (都市部・郊外・地方…)
- 年齢、世代（20 代、アラサー、中高年、団塊 Jr.…)
- 世帯規模 (既婚・未婚・子持ち…)
- 所得水準・前職の待遇
- 前職の業界・職種
- 事業規模（売り上げ規模や従業員数など）
- 前職役職（プレイヤー、マネージャー…）
- 学歴（学校、専攻）
- その他、生育史

…など

「内的特性 (サイコグラフィック)」による分類

- 志向・価値観（流行好き、懐古趣味、新しいもの好き、派手好み、質素、開放的、保守的、社交的…)
- ライフスタイル（健康志向・アウトドア志向・スポーツ好き・仕事中心の生活・家庭第一主義…)
- 趣味（読書・カラオケ・ゴルフ・サッカー・テニス・釣り・音楽鑑賞・お寺めぐり…)
- メディアリテラシー（SNS での友達の数、使っている SNS、好きなサイト、好きなテレビ番組、好きな雑誌…)
- 抱えている悩み、ストレス（大勢で騒ぐことは嫌い、孤独に弱い、同じことの繰り返しは耐えられない…)
- 持っている願望、夢、ゴール（40 歳までに引退して悠々自適、何歳になっても仕事を長く続けたい、有名人になって社会的影響力を持ちたい…)

…など

採用ペルソナの例

ざっくりイメージは「サラリーマン金太郎」

- 一定規模以上の体育会やサークルの幹部・主将・監督など
- イベントオーガナイザー（できるだけ大規模）
- 自分で何か商売をしてきた
- 必要な能力が異なる多数のバイトを掛け持ちし、難なくこなした
- クラスコンパ、同窓会などの幹事
- 絶対視している師匠がおり、忠誠を尽くしている
- 就活はＯＢ訪問をひたすらこなす
- すでに社会人となった大学の先輩たちから紹介を受け、企業へエントリー（リファラル採用）
- 就活成功のためには、大手ナビサイトだけでなく、比較的新しいスカウトメディアにも登録している

「そもそも応募してくる人が少ないです……」

ここまで、候補者集めの前提として、「どんな人材に集まってほしいか」を考えてきましたが、次は具体的に「どのように集めるか」についてです。

昨今、候補者集めの方法は多様化しています。少し前のように巨大なナビサイトに求職者が登録して就職活動・転職活動を行う時代ではありません。

また、ある一定の知名度があり、はじめから自社のファンがいる企業でないと待っているだけでは誰もエントリーしません。

そもそも、候補者集めの方法は大きく、以下の2つに分かれます。

●オーディション型
●スカウト型

1つ目のオーディション型は、求人広告をナビサイトなどのマス媒体に掲載して応募を待ち、エントリーがあった人の中から選抜をする方法です。

まるで会社がオーディションを開き、大量に集まった候補者の中から選りすぐりを見つけるという意味で、その名の通り、オーディション型です。また、数多の候補者から引き抜くという意味で「PULL型」採用などとも呼ばれます。こうした企業側は動かずにエントリーを待つやり方は、いわば「守りの採用」です。

反対に、企業側からターゲットとなる候補者を自ら探し、声かけをし、エントリーを促す方法もあります。

これは、先ほどのオーディションとは対照的に、街に出てめぼしい人を直接スカウトするようなやり方という意味で、「スカウト型」といわれます。また、「PULL型」と対比させて「PUSH型」採用などとも呼ばれます。

こちらの方法は、積極的に求職者にアプローチする方法であり、いわば「攻めの採用」です。第2章で述べた「ダイレクトリクルーティング」がこちらにあたります。

「どんなに求める人物像を緻密に考えて、採用ペルソナまで描いたって、そもそも応募してくる人が少ないんです……」

こういった知名度のない会社に向いているのは、やはり後者の「攻めの採用」でしょう。自ら街へ出てスカウトをすれば、大きな競合他社でも、勝機は十分あるのです。

「攻めの募集」とはどのようなものか

では具体的に、「攻めの採用」を行ううえで、最初のステップ「攻めの募集」には、どういったものがあるのでしょうか。

攻めの採用には「リファラル採用」「スカウトメディア」「SNS採用」などに分けられます。

中でも、まず実施すべきは、**最も費用対効果が高い「リファラル採用」です。**

リファラル採用とは、自社の社員・内定者に、自身の後輩や友人を紹介してもらってエントリーを促すものです。こちらから紹介してほしいと呼びかけるため、攻めの採用の一つであり、かつ知り合いを通すので外部媒体などの利用費がかからず、うまくいけば超低コストでほしい人材を集めることができます。

一方で、リファラル採用で起点となる社員・内定者がいない場合はどうすべきか。

その場合は、「スカウトメディア」を活用します。

スカウトメディアとは、その媒体に登録している人材データベースに企業側からアクセスして、自社にマッチしそうな人材へメールを送り、自ら接点を創出する方法です。

第1章で紹介した「ビズリーチ（株式会社ビズリーチ）」や「OfferBox（株式会社i-plug）」といったスカウトメディアが有名です。

こうしたスカウトメディアで、先ほど描いた採用ペルソナに基づいてキーワード検索したり、そのペルソナに合わせて効果的なスカウト文を書き分けることで、ほしい人材のエントリーが見込めます。

先ほどの例でいえば「サークル代表」や「イベント企画」などで検索をし、ヒットした人材に対して「私と一緒に組織を成長させていかないか」「ゆくゆくは当社の中核メンバーになってほしい」といった趣旨でスカウト文を送るのです。

結局、「優秀な人材」はどこにいるのか？

スカウトメディアは、有名企業・人気企業にこれまで全く歯が立たなかった知名度のない会社に希望の光を与えました。

また求職者にとっても、一般的な求人サイトでは発見できなかった「運命の会社」に出会うチャンスも増えました。そういった意味で、近年台頭してきたスカウトメディアの意義はとても大きいといえます。

ただ、真に優秀な人材は転職市場には中々現れないというのもまた事実です。本当に優秀な人材は、ナビサイトにもスカウトメディアにも登場していない可能性が高いのです。

なぜなら、そもそも優秀な人材は、今の会社でバリバリ活躍して評価され満足している可能性が高いからです。また、何らかの理由で転職を考えてスカウトメディアに登録していても、優秀なため速攻で就職先が決まり、登録したと思ったらあっという間に市場から姿を消してしまうことも多いからです。

では、結局、本当に良い人はどんな人たちで、どこで捕まえられるのでしょうか。

これはずばり、まだ転職市場にはいない転職潜在層です。

彼らは多くの場合、いまの会社では一定成果を残し、一定のやりがいももって働いている人たちです。

このような人たちはすぐに転職しようとは思っていません。

ただ、完全に今の会社に満足しているわけではありません。きっかけがあれば「こんな会社辞めてやる」と思っているかもしれませんし「良い縁があればしたい」と考えているかもしれません。

これは中途に限らず、新卒の人材でも同じです。

研究や部活に本気で打ち込んでいる「本当の意味で優秀な学生」は、就活が後回しになります。だから、就活市場には中々現れません。もしくは現れるのが非常に遅いです。

地方学生なども同様です。地方学生は大都市圏の学生と比べて、どうしても就活に関して得られる情報量が相対的に少なかったり、得られるタイミングが遅かったりします。もちろん中には明らかに優秀な学生もおり、私たち筆者は自社の採用活動などで彼／彼女らが就活市場に参入する前に、こちらから地方の大学などへ直接出向いて一本釣りすることもありました。

この人たちと接触するには、リファラル採用とSNS採用がおすすめです。

リファラル採用はよく「人の繋がりを活かした採用＝縁故採用」と勘違いされますが、全く似て非なるものです。

あくまで紹介はエントリー方法の一つで、エントリー後は通常通り選考を実施することが前提です。ただ、「類は友を呼ぶ」の通り、自社に紹介できる友人であれば、紹介者である社員・内定者と考え方や価値観が似ており、よりカルチャーがフィットしている人材に会える可能性が高いため、結果的に合格率が高くなる、というのもリファラル採用の特徴です。

この手法であれば、自社にマッチする優秀な人材が転職しようと決意し、サイトに登録する以前からアプローチできるわけです。

また候補者にとっては、見たこともない会社ではなく、自分の先輩や友人が勤めている企業のほうがぐっと興味が湧きますし、紹介を受ければ、ちょっと中を覗いてみようかな、と思う可能性も高いでしょう。

次に、一般的なSNSで直接声をかける「SNS採用」も効果的です。一般的なSNSというのは例えば「Facebook」「X（旧Twitter）」「LinkdIn」「Instagram」などです。

インターネット上で良さそうな人を見つけて声をかけるという点はスカウトメディアと共通していますが、圧倒的な数の転職潜在層が存在しており、何よりデータベースが何百倍も大きいのが特徴です（スカウトメディアは多くて10万人規模）。またスカウトメディアと異なり、運用に費用がほぼかかりません。自社のアカウントを作り、こちらから定期的に情報を発信できるため、候補者集めのツールとしてだけでなく、集まった人の志望度を下げないためのつなぎ止めにも使えるわけです。

それでは、ここからはリファラル採用と、SNS採用の「具体的な進め方」を紹介しましょう。

リファラル採用成功の秘訣と準備方法

「人のつながり」が中心であるリファラル採用は、うまくいけば超低コストで、やればやるほど採用担当者も楽になる、魔法のような方法です。

ただし、この方法は始めるまでと、軌道に乗るまでが大変です。

最もつまずくのは、知人を紹介しようと思う社員や内定者のモチベーション作りです。

突然社員に「なんか周りにいい人いない？」などとお願いしても、

「いやーどうでしょうねぇ」

「いい人いれば紹介しますね」

とお茶を濁(にご)されてしまうことは確実です。

基本的に紹介をすることは、紹介者にとってリスクがあります。紹介をした人が落とされてしまうかもしれませんし、そのことなどで紹介者と紹介された人の関係にヒビが入ってしまうかもしれません。

それならば、と張り切って、会社のトイレに「紹介急募!」と張り紙をしたり、全社メールで「誰か知り合いを紹介してください!」と投げたりしても、誰も動いてくれることはなく徒労に終わってしまうでしょう。

大勢の人に一斉にお願いをしても「自分じゃなくても誰かがやってくれるだろう」(これを「社会的手抜き」と呼びます)と思われて、結局誰も動くことはありません。

こうした事態を避けるためには、まずは、社員が積極的に協力してくれるような組織文化をいかに作れるかが重要です。

その手法は、地味ですが、**社員や内定者「一人ひとりに直接・丁寧に」お願いすることです。**

しかし、ただ懇願するだけでは「えー、めんどくさいな」と思われてしまいます。

そのための手法として、つながりを可視化する社員の「ソーシャルグラフ」を描くようにしましょう。

「ソーシャルグラフ」とは、社員一人ひとりの背後にどんなネットワークを持っているのか、所属団体はどんな活動をしていて、そこにはどんなタイプの人たちがい

繋がりを可視化する「ソーシャルグラフ」

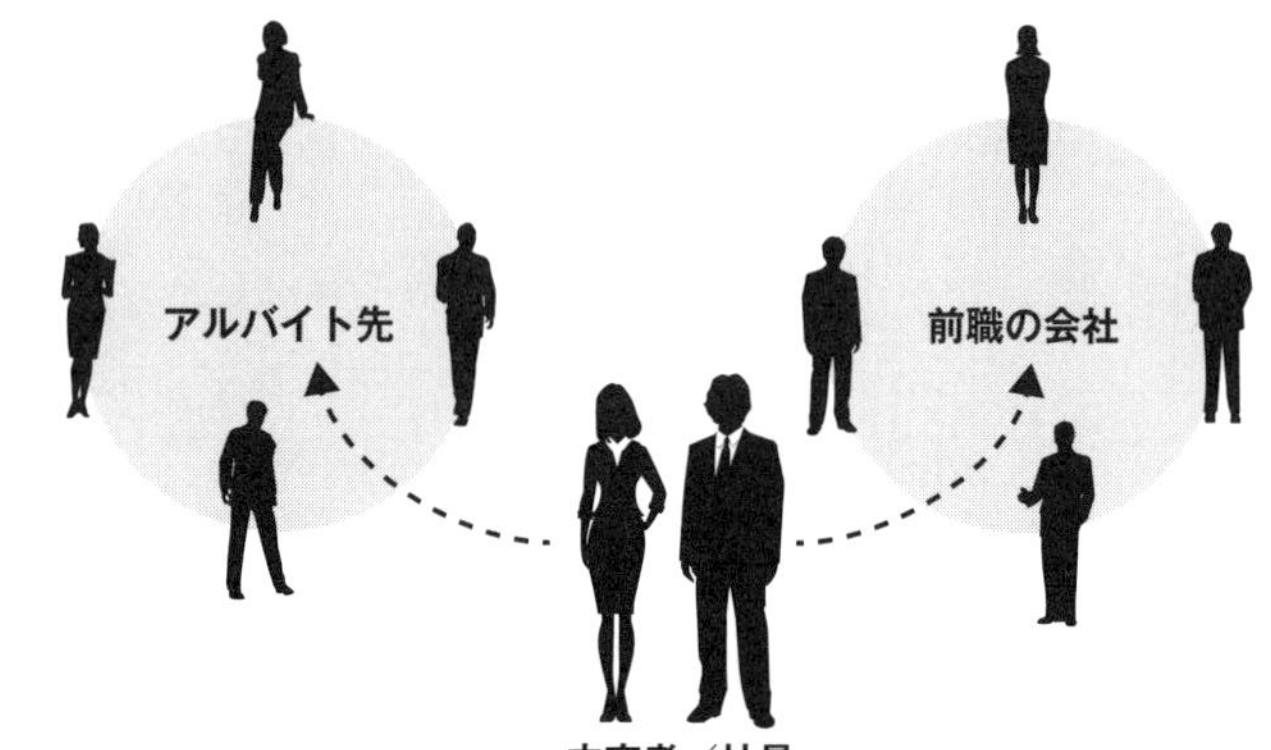

るのか、その中でも就活・転職を考えている人が誰なのかを「見える化」するものです。

なお、「ソーシャルグラフ」を描くのに、わざわざ社員の忙しい時間を割いて面談する必要はありません。日々の雑談などから十分収集できます。特に社員の顔が見えやすい中小企業であれば、「ソーシャルグラフ」は描きやすいはずです。

この「ソーシャルグラフ」を使うことで、自社にとって良さそうな人、団体かそうでないかが把握できますし、会ってみたい人にピンポイントで紹介依頼ができます。

ここまでがリファラル採用を進めるにあたっての準備です。

紹介してくれた人に手間をかけさせない

ある日、社員であるAさんから「一人、知人で紹介したい人がいるんですけど……」と声をかけられたとします。

ここで、「ありがとう！　では早速だけど、面談の日程調整もお願いしていい？」と日程の調整を丸投げする場面を多く見かけますが、これは絶対にNGです。

確かに「Aさんの知り合いだしAさんから声をかけたのだから、調整もお願いしたらいいのでは？」と思われるかもしれません。

しかし、Aさんは（採用の部署ではない限り）他の主業務があります。採用への協力はAさんにとってしなければならない業務ではなく、あくまでプラスアルファの仕事です。そのため、あなたが「ちょっとした仕事」「メールを1通送るだけ」と思っても、Aさんにとってみれば、それは「面倒な業務」に他ならないのです。

この、ちょっとしたひと手間を極力排除しましょう。

「せっかく紹介したのに、仕事が増えた……」と思われてしまえば最後、周囲の社員にもそれが伝わり、今後一切、誰も紹介してくれなくなるでしょう。

だから、紹介してくれた人にはお相手の連絡先を聞くだけとし、その後の連絡は採用担当者側で巻き取るべきです。

もしこれ以上、紹介してくれた社員に日程調整やエントリーを促す口説きまで余計な業務を行ってもらうのであれば、何らかのインセンティブを設けると良いでしょう。

会社によっては、こうしたインセンティブを「紹介への報奨金（ほうしょうきん）」として1件につき数千円という比較的ライトな形で設けている場合もあれば、さらに紹介した候補者が入社～3か月定着すれば数万円～数十万円といった高額の報奨金を支払っているケースもあります。

ただ、報奨金が本業で得られる給与と同じくらい高額であると、職業安定法などの法律に触れる恐れもあるので、注意が必要です。何より、何かトラブルがあった際に、紹介した人と紹介してくれた人の関係にヒビが入る危険性もあります。

筆者がおすすめするのは、まず紹介の敷居を下げ、もっとカジュアルで柔軟な形でインセンティブを用意することです。

例えば、双方の会食や飲み会の実費負担など、紹介する側にとっても紹介される側にとっても、「ちょっと嬉しい」と感じられるようなインセンティブであればより良いでしょう。

紹介された人には絶対会う

同じく、「知人で紹介したい人がいるんですけど……」と言われた際、「ありがとう。では、まずは履歴書と職務経歴書を提出するように伝えてもらえる？」という対応がよくみられますが、これも、絶対NGです。

もし相手が転職潜在層であった場合、「なんだ、ふつうの転職活動と同じ手順を踏まないといけないのか。じゃ、いいです」

となりますし、紹介してくれた人も「友人に負担をかけさせるなら、もう紹介しない」と思うでしょう。

紹介してくれた人にはまず、一度必ず会うと確約し紹介を募ることで、継続的に

紹介してもらえるようにします。

また、「会社説明会や選考会に来い」と言うのもダメです。転職潜在層にとって一番興味がないイベントは「知らない企業の説明会」です。基本は面談で、場所は先方のオフィスや大学近くまで出向くことです。また内容は選考や面接形式ではなく、ざっくばらんな会話です。ちなみに、ある外資系企業では、「コーヒートーク」と呼んでいました。

先方に持参物を用意してもらうのも最初はやめた方が良いでしょう。手ぶらでOKと伝えましょう。

このように、これぐらいハードルを下げないと、知名度のない会社は紹介してもらえません。

もし事前情報から極めて優秀な人材である可能性が高いのであれば、自社の経営陣も交え、最初から会食するという手もあるかもしれません。

そうして、徐々に信頼関係ができれば、ようやくフォーマルに採用選考に乗ってもらう。このように候補者と接することが必要です。

SNSといっても「バズらなくていい」

ＳＮＳ採用について、自社アカウントを作り、運用するのは必須です。オウンドメディアとして情報を発信しながら、ターゲットを探してスカウトできますし、すでにエントリーした候補者とＳＮＳを介してコミュニケーションを取ることもできます。

実は、昨今のナビサイトにはブログ機能が搭載されており、定期的に情報発信することができます。

しかし、求人サイトでは、求職者が自ら検索して興味のある会社のページにたどり着くため、基本的に既存ファン層しか自社ページに流入せず、新たにファンを獲得することはできません。これがＳＮＳとの最も大きな違いです。

ＳＮＳではハッシュタグ「#」をつけて投稿したり、頻繁な投稿によって他のアカウントのおすすめ上位に上がったりなど、比較的簡単に非ファン層までリーチすることができます。

つまり、「偶然出会う」可能性がナビサイトよりも高く、また運用次第で自社ファンを新たにどんどん増やしていくことができるのです。

その他、SNS採用のメリットを次ページにまとめています。

ただし、すぐに成果が出るものではありません。生半可(なまはんか)に運用していても無意味です。本気で継続運用できるかが重要です。

というのも、SNSを活用して候補者を集める場合、ただやみくもにリコメンドされてきたアカウントにDM（ダイレクトメッセージ）を送っても、突然知らない会社から連絡が来たら相手は驚くでしょう。

こと転職潜在層なので採用担当者からDMが来ること自体想定されておらず、抵抗はさらに大きいです。

それでも受け取ってもらいやすくするポイントは以下3つです。

●発信コンテンツを一定数貯めておく
●DMを送る相手をペルソナに基づいて探す
●リファラル採用と掛け合わせる

SNS採用のメリット

1 手軽に始められる

自社HPの立ち上げは自前で行うにしても専門的なIT知識が必要であったり、外注するのも一定の費用が発生する。

2 若手・次世代採用に高い親和性

SNSに日ごろから触れている「ソーシャルネイティブ」世代には親和性が高い。

3 やればやるほど運用が楽になる

アップされて溜まったコンテンツは消えずに蓄積していく。Webマーケティングの観点からも情報が豊富なアカウントはSNS上での表示の優先度が上がり、閲覧者数も増える。

4 入社後の定着率が上がる

これまでは実際入社してみないと詳しくはわからなかったカルチャーやキャリアパスなど企業内部の情報も、コンテンツとして発信することで、入社前にすり合わせができ、結果的にミスマッチ防止になる。

5 コミュニケーションコストが下がる

候補者と個別にチャット形式でやりとりができ、メールよりも手軽で双方の負担減になる。

まずやるべきは、発信コンテンツを一定貯めておくというものです。

通常、相手がDMを受け取った後の流れとしては、DMの送り主がどんな人物なのか、信頼に足る人なのかをそのアカウントを見に行って確認します。投稿がないアカウントでは素性が分からず、まず返事をもらえることはないでしょう。

だから、きちんと信頼できる会社であるということを示すために、コンテンツを定期的にアップしておく必要があります。一つのアカウントに50投稿くらい蓄積されていれば、まずは第一段階クリアでしょう。

その際、作りこまれた投稿でも、バズるような投稿は必要ありません。バズを狙った過激な投稿はかえって逆効果になります。

投稿を見た相手が「どんな会社かがイメージでき、安心できるかどうか」が必要条件です。

具体的なコンテンツとして発信できるネタは大きく分けて2つです。

1つは、求人情報です。

自社ではどのような職種を、どのような条件で募集しているのか、SNSではリアルタイムに発信することができます。せっかくなので、「もし興味があれば問い合わせフォームやコメント欄から応募を受け付けています」と受け皿も用意しておきましょう。

2つ目は、企業理念や社風、職場環境や雰囲気など、自社の価値や魅力です。コンテンツのミソはまさにここにあります。

例えば、ナビサイトで自社求人欄に「当社ではフレックスタイム制度を導入し、働きやすい環境が整っています」と一文で終わってしまう説明も、ＳＮＳであれば、次ページのようなイメージでその制度を活用している社員の実際の声などを画像付きでアップできます。

会社の雰囲気が伝わるSNS投稿例

当社のフレックスタイム制度
～皆の感想編！～

夕方予定があっても
早く帰宅できる！

朝のぎゅうぎゅうな満員電車に
乗らなくてすむのが
本当にうれしい……

自分、朝が弱くて……
「もう少しゆっくり寝たい」時に
嬉しいです！

職場にパパ・ママ世代が多いので、
子育てとの両立がしやすいのが
GOOD◎

SNSでの発信コンテンツ例

企業理念やビジョンを伝える	企業文化や雰囲気・環境を伝える
●代表からのメッセージ ●企業理念の紹介 ●自社のビジョン・ミッション・バリューの紹介 ●会社の方向性について経営層インタビュー	●プロジェクトストーリー ●オフィス環境の紹介 ●新人・中堅・ベテラン社員のインタビュー ●プロダクトの魅力の紹介 ●福利厚生・社内制度の紹介 ●キャリアパス事例の紹介 ●日常的な社内イベントの発信 ●お客様の声

このように、みずみずしく具体性に富んだ情報発信ができるのです。

こういったコンテンツの例を以下にまとめています。

それぞれのコンテンツを自社ではどのように発信するか、ぜひ参考にしてみてください。

また、コンテンツを発信する際には、①ハッシュタグ「#」を活用する、②気軽さを重視する、③ライブ感を重視するという3つも意識してください。

▼ハッシュタグ「#」を活用する

近年、「Z世代」を中心にGoogleなどの検索エンジンでキーワード検索する（ググる）よりも、SNSでハッシュタグ「#」検索する（タグる）方法がとられるようになっています。

SNSで投稿する際は、そのコンテンツに関連したキーワードを入れることで、検索にヒットしやすく、より目に触れる機会が増えるでしょう。

▼イラストや動画でわかりやすく

若手世代になるほど幼少期からデジタルに慣れており、あまりに長時間の動画や文章はわずらわしく感じてしまう傾向にあります。そのため、イラストや写真を多用して視覚的にわかりやすく、文章は改行を多めにするなどして読みやすくする工夫が必要になります。

▼ライブ感を重視する

近年、ライブコマース（ECサイトとライブ配信を組み合わせた販売形態）市場が拡大している流れからも、双方向かつリアルタイムでの対話を重視した情報収集が行われていることがわかります。

こういった流れを受けて「YouTube」や「Instagram」ではライブ配信機能が活発です。SNS採用でも、この機能を活用する企業も増えてきています。

社員インタビューやオフィスツアー、また会社説明会などを、ライブ配信機能を使って行うことで、質疑応答がリアルタイムでできたり、視聴者の反応を見ながら柔軟に進めたりすることができ、結果的にコンテンツ満足度が高まるでしょう。

せっかく採用ペルソナを想定したのであれば、そのペルソナに基づいてターゲットを探しましょう。このとき使用するのもハッシュタグ「#」です。ペルソナに関わるキーワードに加え、「#25卒」「#就活垢」「#転職垢」「#営業」などで検索すれば、そもそも就活や転職をしている人たちであることがわかりますし、反応率も高まります（※就活垢の「垢」というのは「アカウント」を意味し、いわゆるネットスラングです）。

決め手となるスカウト文とは

さらに、これらのSNS運用を、先に述べたリファラル採用と組み合わせると、より効果的です。

社員や内定者に誰かを紹介してもらう際に、紹介者に自社のSNSアカウントを教えておいて紹介する知人に見てもらうようにしたり、相手方が問題なければ相手のSNSアカウントを教えてもらい、そこから気軽なDMを送ったりすることができます。

DMスカウト文の一例を紹介します。

×× さん

お知り合いを通してとはいえ、突然のご連絡で失礼いたします。
私は株式会社○○の人事採用担当●●と申します。
今回、ご友人で当社社員の▲▲さんが「ぜひこの人を推したい！」と考えている方として××さんを紹介していただきました。

××さんには、当社のことを少しでも知っていただきたく、もしよろければフォローしていただき投稿なども見ていただければとても嬉しいです！

そして、もしよろければ、一度ざっくばらんにお話しませんか？
場所は、オンラインでももちろん問題ありませんし、なんなら××さんが普段出勤されている駅近くまでうかがいます！

お返事、心よりお待ちしています。

リファラル採用の手順として、紹介のハードルをできるだけ下げるために、会社のパンフレットなどを紹介者に渡して「これを相手に見せてうちの会社を紹介してね」という手もありますが、せっかく自社SNSアカウントがあるのであれば、そちらを紹介した方が紹介する側も紹介される側も手間がかかりません。

知名度のない会社がほしい人材を集めるためには、まず採用ターゲット（求める人物像）を明確にし、「採用ペルソナ」まで考えること。そのうえで、ペルソナに合わせて候補者を探し、こちらから声をかけにいく攻めの採用（スカウト型）をしていきましょう。

第4章

ほしい人材を「見抜く」ための採用術

あなたは面接でほしい人材を見抜けていますか？

候補者を集められたら、次は自社に本当にマッチする人材を「見抜く」フェーズです。

ここでは、「どう見抜くか」だけでなく、「なぜ、自社に入社しないのか」を考えることで、より「ほしい人材かどうか」がわかるようにします。

自社にマッチしていない人材とはどういう特徴があるでしょうか。

主に多くの企業で共通する点として、2つに分けられます。

●せっかく入社しても、早期退職してしまう（定着しない）

●期待した成果が上げられない。または職場のクラッシャーのような問題社員になってしまう（戦力化しない・活躍しない）

現在、入社者1名あたりの採用コストは平均して100万円程度といわれています。マネジメント層や高度専門職の採用であれば、さらにコストはかかっているでしょう。

せっかく大金をかけて採用したにもかかわらず、早期退職されてしまうのは大きな問題ですし、残ってもうまく戦力化できなければ無駄に払い続ける人件費が経営を圧迫してしまいます。

どちらにしても、会社としては由々しき問題なわけですが、これらは採用時の「見抜き」が不十分であったこと、つまり面接の方法に問題があったことが原因の一つに挙げられます。

面接はベストな選考手法ではない

実は、人の見抜き方、つまり選考手法というのは面接だけではありません。

様々な選考手法とその精度の違いを次ページにまとめています。

様々な選考手法とその精度

選考手法※1	内容	選考の精度※2
ワークサンプル (Work Samples)	実際に仕事をさせ、その成果を見る方法	0.54
認知的能力テスト (Cognitive Ability Tests)	数学的/言語的/論理的/図形的推論に関する能力を測るテストいわゆる適性検査のこと	0.51
構造化面接 (Structured Interviews)	評価基準が明確で、面接官の間で統一化された質問を行う面接	0.51
非構造化面接 (Unstructured Interviews)	評価基準が曖昧で、面接官ごとに属人的な質問を行う面接	0.31
職務に関する知識テスト (Job Knowledge Tests)	(主に技術的な)職務に求められる知識を測るテスト	0.48
リファレンスチェック (Reference Checks)	候補者の前職での勤務状況や人物などについて関係者に問い合わせる身元調査	0.26

※1：選考手法は、出典元の論文に記載ある選考手法の内、一般的に日本の採用市場で使用されることの多いものを抜粋して記載

※2：選考の精度は妥当性係数を示し、値が大きいほど将来のパフォーマンスの予測力が高いことを示す

出典：『Ann Marie Ryan & Nancy T. Tippins (2004)Attracting and selecting: What psychological research tells us, Human Resource Management 43(4):305 - 318』を元に、筆者にて作成。

「選考の精度」は、値が大きいほど将来のパフォーマンスの予測力が高いことを示しています。

この表によれば、「ワークサンプル」が最も選考の精度が高いとわかります。ワークサンプルとは、実際の仕事（または、それに近い形で切り出した課題）をさせてみてジャッジする方法です。

次に高いのは「認知的能力テスト」、これはいわゆる適性検査のことを指します。

そして、注目すべきは、「構造化面接」と「非構造化面接」です。どちらも面接という選考手法ですが、「構造化面接」は適性検査と同じ精度があり、一方の「非構造化面接」は表中で2番目に低い精度であることがわかります。

同じ面接でもこんなに精度の違いがあるのはどうしてでしょうか。それぞれの面接の違いを見てみましょう。

「自由形」のフリー面接はバイアスの餌食（えじき）になる

まず「構造化面接」とは、「当社の求める人物像はこういった能力をもっている人材で、面接はこんな流れで実施し、求める人物像にもとづいてこんな質問を投げかけ、こんな評価基準でジャッジをしていく」というように、文字通り、構造化されている面接です。

面接官の間で評価の目線が一致するように訓練され、誰が面接を行っても同じ基準でジャッジするようになっているものです。いわゆる「指定形」（マニュアル型）の面接といえます。

一方の「非構造化面接」は、評価基準が曖昧で統一されておらず、いわば「面接官の頭の中にだけある基準」で合格・不合格のジャッジされてしまうフリーな形式の面接のことです。長年面接官の中に蓄積された勘と経験をもとに「私に言わせれば、人はこうやって見極めることができ、こんな人は良い、こんな人はダメ」という基準によって面接が進められるものです。こちらは「自由形」（フリースタイル型）といえるでしょう。

ではどうして「自由形」の非構造化面接だけ、こんなに精度が低いのでしょうか。

これは、**面接官が様々なアンコンシャス・バイアス（無**

意識の偏見や先入観）の餌食になっているからです。

非構造化面接はいわゆるアドリブで面接が進められます。アドリブのため、評価に必要な重要な事実を網羅的に収集できないことがあります。人はこうした「情報の穴」があったとき、つい、自分の想像力や過去の経験や知識などで無意識のうちにその穴を埋め合わせて、相手の話を理解してしまいます。

しかし、本来は面接ではそれはしてはいけません。なぜなら、その「想像」にアンコンシャス・バイアスが入り込むからです。

人間は誰しもが「自らが持つ好き嫌いや善悪の価値観」という色眼鏡をかけて世界を見ています。そして、これらを完全に取り払うことはできません。

面接評価で陥りがちなバイアスの代表例をいくつか紹介しましょう。

面接評価でよくあるアンコンシャス・バイアス

▼確証バイアス

仮説や信念を検証する際に、自分がすでに持っている仮説を支持する情報ばかりを集め、反証する情報を無視または集めようとしない傾向のこと。いわば「先入観」です。

例：学校の成績が良い人のことを「勉強しか能がないガリ勉」「行動力が低く、おとなしくじっとしている人」「真面目で面白みがない人」という先入観をもってしまうと、候補者が何を話しても、「やっぱりこの人はガリ勉だ」と評価してしまう。

▼類似性効果

「人は自分と似ている人に好奇心を抱く」という、誰しもが持つ強力なバイアス。逆に「自分と似ていない人」は低く評価します。

例：面接官が学生時代に体育会系の部活で頑張ってきた人は、同じく体育会系出身者を好ましく思い、反面「文化系の部活で頑張ってきた人」を無意識に軽んじる。

▼初頭効果

よく「第一印象が大事」といわれますが、それはこの「初頭効果」のこと。最初に与えられた情報が長期記憶に引き継がれやすく、後の評価に影響を及ぼす現象のことです。

例：履歴書やエントリーシートなどの応募書類で「なるほど、この会社に所属しているのか」など、属性を見て生じた印象が後々まで残る。

▼認識の相対性

音に対する絶対的基準を自分の中にもっていて、どんな音を聞いても音階がわかるという「絶対音感」というものがありますが、ほとんどの人はこの絶対音感ではなく、「相対音感」――つまり、何かの音と別の音を比べたときにどちらが高いか低いかだけが分かるにすぎないといわれています。

人を見る場合にも同じようなことが起こります。つまり、誰かと比較するとどちらの方が自社に合っているのかわかったりする（もしくはわかった気になる）のですが、候補者が一人しかいなかった場合、その人がどれほど自社に合っているのかを評価するのは途端に難しくなります。これは、同じ人の中での各性格特性間でも似たようなものがあると思われ、強み弱みがはっきりしている「とがった人」の性格は認識しやすくても、バランスの取れた「まるい人」に対しては「この人はこういう人だ」と捉えにくい場合があるということです。それが結果的に「特徴のないふつうの人」と評価されてしまうケースがあるのです。

▼ハロー効果（後光効果）

ある対象を評価するとき、目立ちやすい特徴に引きずられて他の特徴についての評価が歪められる現象のことです。

例：「ある競技でインターハイに出た」「会社で面白いイベント立ち上げて、外部も含め数千人を動員した」など、目立つエピソードを聞いてしまうと、採用基準にはあまり関係ない事柄でも、その他のすべての要素が良く見えてしまう。

このように、あなたの会社の面接の精度が低いのは、これらのバイアスが影響していると考えられます。

ところが、いま紹介したバイアスを知っているだけでは、アンコンシャス・バイアスは取り除くことができません。

ではどうすればよいかというと、自分自身が陥りやすいバイアスが何かを他人からフィードバックを受けて事前に認識し、実際に目の前の候補者に対峙した際にそのバイアスにとらわれていないかと自覚するよう努めるしかありません。

つまり、アンコンシャス（無意識）であったものを、意識下に表面化させることでコントロールできるようになるというわけです。

例えば、ある新卒の学生のエントリーシートを見た際、

「おや、この学生は僕と同じアメフト部出身者だ。きっとガッツがあるに違いない。それに同じ出身県で市内も同じだ。なんだかシンパシー感じるなあ」

と思ってしまったら、その人は類似性効果とハロー効果というバイアスにとらわれてしまっています。

ここで「おっと、私と同じ経験・同じ出身地だからといって当社にマッチしてい

るとは限らない。冷静に判断しよう」と我に返ることができるか、がポイントです。「自由形」の非構造化面接では、特にこれらのバイアスの格好の餌食となるわけですが、「指定形」の構造化面接でも結局は人が人を評価するのは変わらないので、やはり多少評価に影響します。

ぜひ面接前に一度、「自分はどんなタイプの人を高く（または低く）評価しがちか」を考えてみてください。

できるだけ「指定形」に近づけると見抜く精度が上がる

これまで見てきた通り、ジャッジする精度を高めるためには、面接を構造化する必要があります。そのために、まずできるだけジャッジする「基準」を明確にしましょう。

「明確化されたジャッジの基準」とは、左ページの表のようなものを指します。

このように、自社の求める人物像から評価項目を決め、それぞれの定義を合わせて、面接でのチェックポイントを固めます。

明確化・統一化された面接評価基準の例

評価項目	定義	面接でのチェックポイント／質問例
①コミュニケーション力	論理的な筋道を立ててわかりやすく考えたり、説明したりすることができる	面接での質問と回答がズレておらず、的確で分かりやすい受け答えができるか
②継続力	やり始めたことは、途中で困難なことが起こっても諦めずに続ける	これまでに困難な状況においても自分なりに考え方や捉え方を変えながらモチベーションを保ち、やり抜いた経験があるか

その際、特に注意しておきたいのは、「定義」を面接官同士で認識を合わせておくことです。

なぜなら、上の例をとると、「コミュニケーション力」と一言でいっても、人によって「論理的な筋道を立ててわかりやすく考えたり、説明したりすることができる」ことを指している場合もあれば、「相手の感情や思いを想像したり、集団の空気を読んだりすることができる」ことを指している場合もあります。

前者は別の言葉で表現すれば

「論理的であること」ですし、後者は「感受性が豊かであること」ともいえるでしょう。

このように日本語には曖昧多義的な言葉が多く、特に人物を表現する日本語は多義的な言葉であふれています（誰かの性格を良くも悪くも直接的表現で言い表すのがはばかられる文化だからかもしれません）。

そのため、できるだけ言葉の定義は明確にしておく必要があるのです。

もし、曖昧多義的な言葉で定義されている評価項目があったら、他の面接官に「これって私はこういう意味で使っているんだけど、あなたはどうですか？」と聞いてみましょう。

「迷ったら合格」でOK

今まで「自由形」でやっていたフリー面接を、ある程度統一して「指定形」にするのは必要です。ただ、あまりに構造化を進めて、面接官の一挙一動を制限すると、今度は機械的すぎるやりとりとなり候補者は面接官に人間味を感じられなくなっていきます。

詳しくは後の章で話しますが、人は、最後の最後は感情で判断・意思決定する生き物です。

つまり、面接官が一生懸命汗を流しながら口説き、その熱意が相手に伝わることで最終的に入社を決意するのです。根性論を訴えたいわけではありません。これは「情動感染」という心理学で使われる立派な用語です。

繰り返しになりますが、知名度のない会社が、一番ウェイトを置くべきは「口説く力」です。

「良い人を見つけた！」と見抜けても、口説けなければ自社に入ってもらえません。

対面の面接でふつうに会話をしようとすればできるはずなのに、現状のＡＩのような不自然なやりとりでは口説くことなど到底できません。

実際、ＡＩを活用した面接はグローバル企業などでも行われていましたが、口説き（入社動機形成）に悪影響を及ぼすなどもわかり、順次中止している企業も多くあります。

結局、人材不足の社会では、口説けることがコアスキルになるのです。

だから、あまりガチガチに決めきらず、「こんな評価項目を、こんな質問などから見るようにしましょう」くらいにして、面接官同士で統一するのが良いでしょう。また、自分が担当する面接で、なんとしても良い人材を見抜かなければならないと気負う必要もありません。「迷ったら合格」くらいでも問題ないでしょう。

面接は、合格を出している限り、次の選考で再チェックができますが、一度落としてしまったらその人はもう二度と、あなたの前に現れることはないからです。

そもそも面接官は良い人を落としても永遠にバレません。だから、どうしても「わからなければ落とす」傾向が強くなりがちです。

その意味では、知名度のない会社においては、落としすぎるリスクよりも上げすぎるリスクを取るくらいが良いでしょう。

もし、自分が担当した面接で気づいた候補者の懸念点や、逆に確認できなかったことがあれば、次の面接官に申し送りをし、次の面接でチェックしてもらうようにしましょう。

面接官は「事実」しか信じるな

とはいえ、面接官に見抜く力がないのも困ります。

では、面接スキルとして、候補者をできるだけ精度高く見抜くためにどんな話を中心にヒアリングすべきでしょうか。

それは候補者の話す、紛れもない「客観的事実」です。

面接で候補者が話すことは、客観的事実、つまりその人が「やってきたこと」と、主観的意見、つまりその人が「思っていること」の２つに分かれます。

そもそも採用面接では「この候補者がこれまで発揮してきた力は、当社に入社した後も変わらず発揮できそうか」という「能力の再現性」を見ています。

そして、この能力の確からしさ（再現性）は、その人がやってきたこと・実際に行動してきたことからしかわかりません。「思っている」と言われても、あくまで「だけ」かもしれず、そこから能力の再現性を確認することはできないのです。「見抜き」

の観点から「面接官は事実しか信じるな」とよくいわれるのはそのためです。

ですから面接官は、**候補者のこれまでの経験やエピソードを中心にヒアリングしていきましょう。** 面接で聞くべきこと、聞いてはいけないことなどは、左ページの通りです。

ちなみに、主観的意見とは、例えば、業界や会社を選ぶ軸などの「就職志向」や、候補者自身が自分の強みや弱みをどう分析しているかという「自己分析」などが含まれます。

どちらも、面接ではよく候補者側からアピールされる内容ではありますが、面接官はそれをそのまま鵜呑(うの)みすることなく、必ず「なぜそう思うのですか?」という裏づけの事実を丁寧に確認するようにしてください。

また、面接官として、押さえておかなければならないこととしては、「採用面接では聞いてはいけない質問」というものがあります。

採用倫理上のルールとして、本人の能力に関係のない情報は基本的に収集してはいけません。詳しくは各県の労働局が発行している「採用と人権」という冊子をご参照いただければと思いますが、例えば136ページのような項目があります。

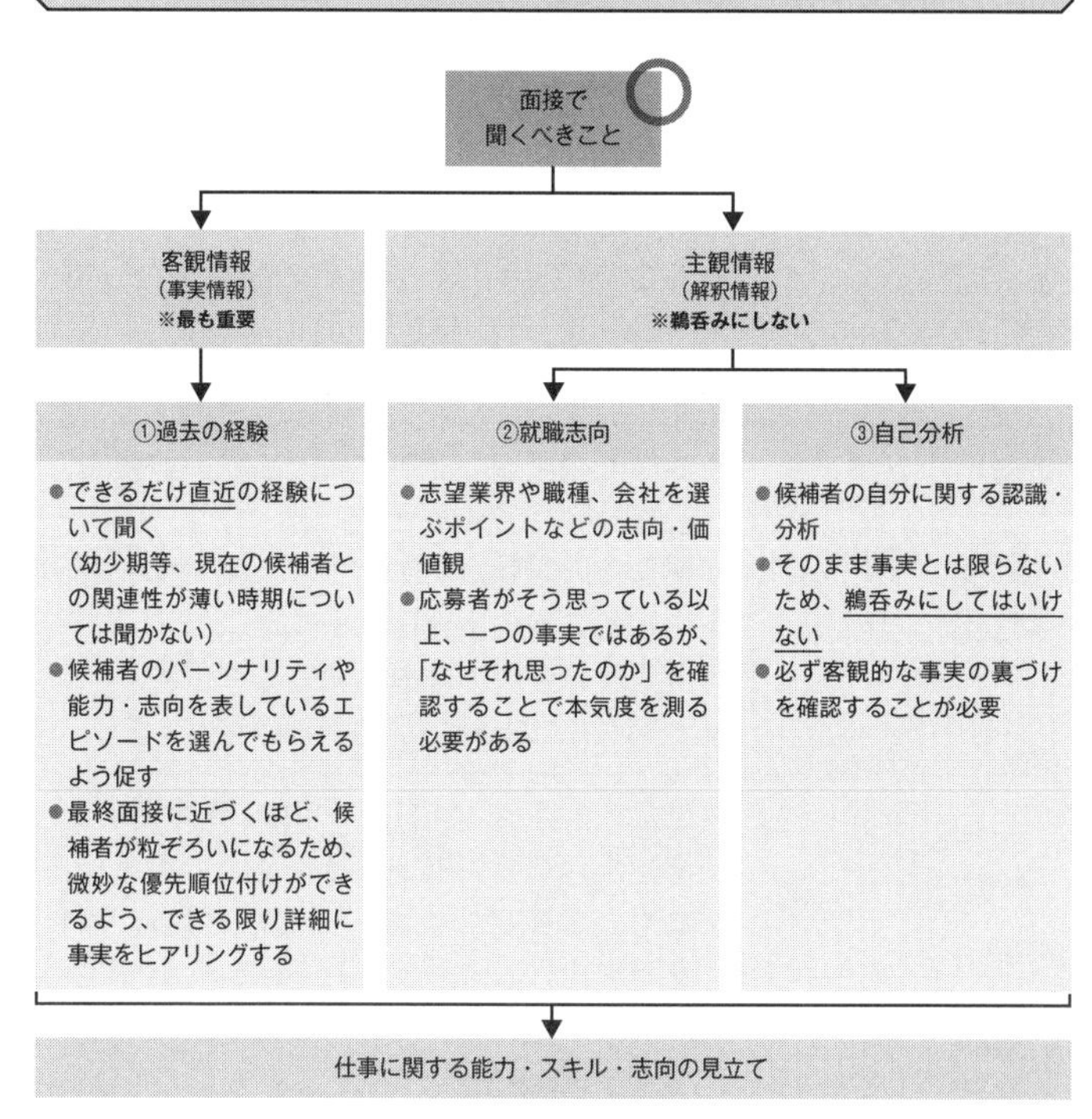
面接で聞くべきこと、聞いてはいけないこと
面接で
聞くべきこと
客観情報
（事実情報）
※最も重要
主観情報
（解釈情報）
※鵜呑みにしない
①過去の経験
●できるだけ直近の経験について聞く
（幼少期等、現在の候補者との関連性が薄い時期については聞かない）
●候補者のパーソナリティや能力・志向を表しているエピソードを選んでもらえるよう促す
●最終面接に近づくほど、候補者が粒ぞろいになるため、微妙な優先順位付けができるよう、できる限り詳細に事実をヒアリングする
②就職志向
●志望業界や職種、会社を選ぶポイントなどの志向・価値観
●応募者がそう思っている以上、一つの事実ではあるが、「なぜそれ思ったのか」を確認することで本気度を測る必要がある
③自己分析
●候補者の自分に関する認識・分析
●そのまま事実とは限らないため、鵜呑みにしてはいけない
●必ず客観的な事実の裏づけを確認することが必要
仕事に関する能力・スキル・志向の見立て

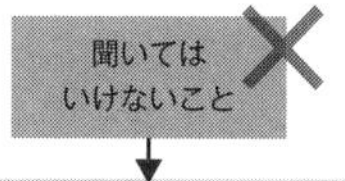
聞いては
いけないこと

採用基準に関係ないことすべて
●候補者に採用基準について不信感をもたれないように、意図の不明な質問はできる限り避ける（好きな食べ物は、等）
●また、本人自身の能力·意欲等に関係のないこと（親の職業、出身地、信条、宗教、尊敬する人など）については質問しない

聞いてはいけない質問

本籍などに関すること	●あなたの本籍(出身地)はどこですか。 ●生まれてから、ずっと現住所に住んでいるのですか。 ●あなたの自宅は、＊＊町のどのあたりですか。 ●あなたの住所の略図を書いてください。
家族の状況に関すること	●あなたの父親の職業は何ですか、勤務先、役職を教えてください。 ●あなたの兄弟(姉妹)は何をしていますか。 ●あなたの家の家業は何ですか。 ●あなたの両親の学歴を教えてください。 ●お父さん(お母さん)の死因は何ですか。
家庭環境に関すること	●あなたの家は、持ち家ですか、借家ですか。 ●あなたは自分の部屋を持っていますか。 ●あなたの家は、山林、田畑がどれくらいありますか。 ●あなたの学費は、誰がだしますか。
思想、信教などに関すること	●あなたには、支持する政党がありますか。 ●労働組合運動をどう思いますか。 ●あなたの家の宗教は、何ですか。 ●あなたの愛読書(誌)は、何ですか。 ●あなたの人生観は。 ●あなたの尊敬する人物は誰ですか。

それぞれの項目を見ると、「今の時代、こんなこと聞かないでしょう……」と思う項目もたくさんあるでしょう。確かにストレートに聞いてしまうケースは少ないとは思います。

ただ、候補者側からこういった内容を話し始めることがあります。

例えば、候補者から「親が自営業をしているんですが……」と発言があった際には、流れで「へえ、そうなんだ。自営業は何をしているの？」とつい聞いてしまいたくなるでしょう。

ただ、これは結果的に、親の職業や家業を確認することと同じことになってしまうため、注意が必要です。相手から話し始めたからといって、決してその話に乗ってそのまま深く聞いてしまわないよう、面接官として心がけましょう。

他にも、面接冒頭、アイスブレイクのつもりで履歴書を見て「変わった名前だね！」と声かけすることなども、本人は心外に思っている可能性が十分ありますので、気をつけましょう。

また、残業はできるか、長期間働けそうかを気にして「今は一人暮らしですか？」「結婚のご予定は？」「お子さんの予定は？」などと聞いてしまう場合もあります。

これらは遠まわしに聞くのではなく、ストレートに

「残業はどれくらい可能ですか？」
「長期にわたって就業可能ですか？」

と聞きましょう。入社するにあたって事前に把握しなければならない質問でなければ、聞かないようにするべきです。

「アレオレ詐欺」を見抜く3つの突っ込みポイント

さて、事実を中心に情報収集ができたとして、ここからは候補者のエピソードの深堀りポイントに入っていきましょう。

特に注意が必要なのがフリーライダー、別名**「アレオレ詐欺」に引っかかってしまうこと**です。

フリーライダー（ただ乗り）とは、候補者がエピソードをさも自分が行った事実のように話しているが、実は自分がやったことではなく、ただやっていた人のそばにいて当人は見ていただけ、というものです。

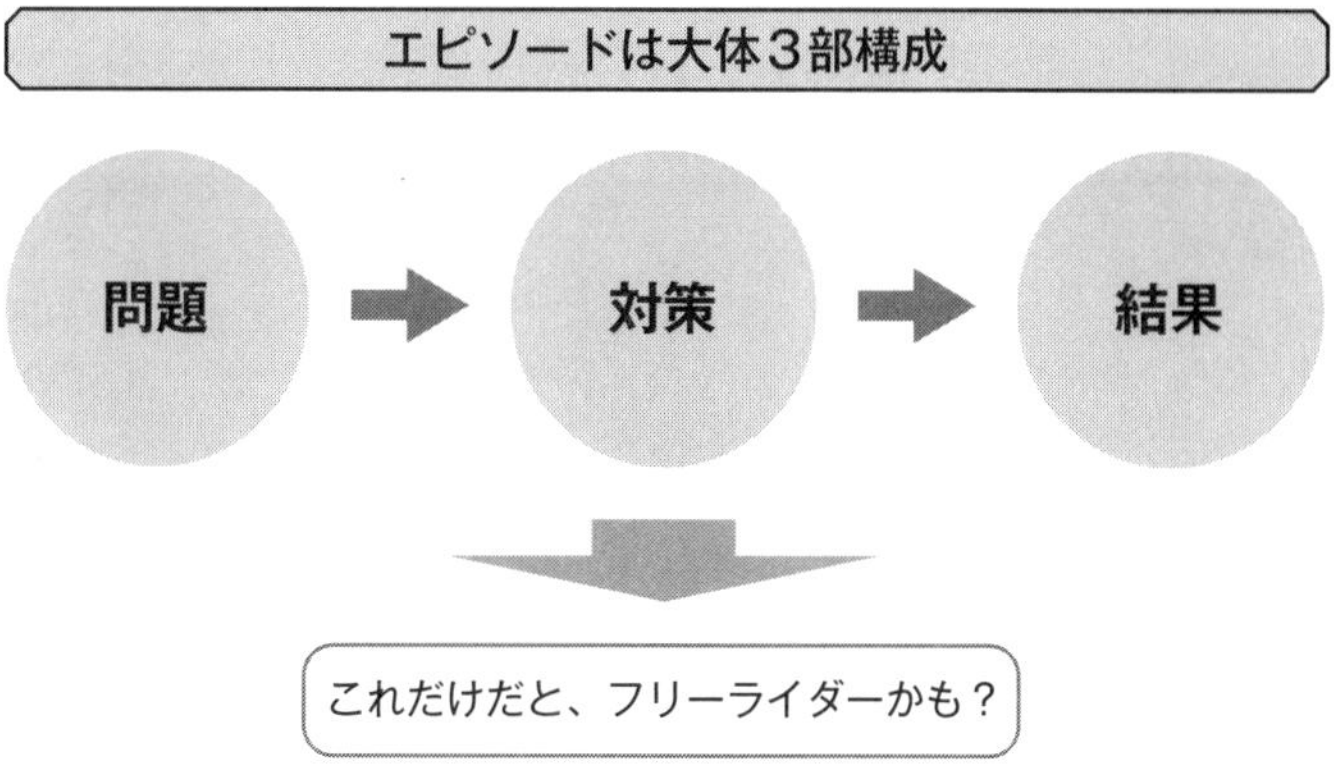

エピソードは大体3部構成

問題 → 対策 → 結果

これだけだと、フリーライダーかも？

本当は自分がやったことではないにもかかわらず、「あの案件、実は自分が企画したんです」「あの事業を立ち上げたのは私なんです」と業績を偽り、面接で好印象を与えることを、採用面接の場では「アレオレ詐欺」と呼んでいます。

候補者のエピソードというのは一般的に、ある時起こった「問題・課題」に対してどんな「対策・行動」を取り、それがどんな「結果・成果」に結びついたかという3部構成で話されます。

しかし、それは本当に候補者自身が取った行動なのかというのは、その場に面接官がいて見ていたわけではないため、本当の真偽はわかりません。

この「アレオレ詐欺」を見抜くための突っ込みポイントが、3つあります。

●そもそも何が問題の原因と考えてその対策・行動を取ったのか
●他に対策として考えられたものはないか
●他に考えた対策は、なぜ行わなかったのか

これらは当事者であれば、当時頭の中で考えていることであり、傍から見ているフリーライダーにはわかりません。

それから、できるだけ候補者がそのとき置かれていた状況やぶつかった壁などを具体的にヒアリングすることも重要です。

●そもそもどんな環境で起きた問題だったのか
●結果が出るまでに発生した壁やトラブル、予想外の出来事がなかったか

これらがわからなければ、そもそも起きた問題の難易度やレベル感はわかりません。

例えば、新卒採用において、候補者が述べたアピールポイントとして、「赤字続

きだったアルバイト先の焼き肉店を黒字転換させた」というエピソードがあったとします。

この場合、「それらのエピソードがウソか本当か」といった真偽を疑ったり、問うてはいけません。

アルバイト（＝候補者）が考えた対策は、店長が全面的に背中を押してくれる環境のうえで成立したものなのか、もしくは、赤字続きの状況に危機感を持たず、「所詮アルバイトが考えた対策だから」と全く助けてくれない店長がいる環境だったのかによって、自分が考案した対策を実行に移すまでの難易度が異なります。

難易度が高い中で実行したものであれば、成果に対する評価そのものも変わってくるでしょう。

こういったエピソードを取り巻く周辺情報のことを私たち筆者は**「エピソードの舞台装置」**と呼んでいます。

舞台装置には、「環境」「人間関係」「文化・風土」「当人の役割」などが挙げられます。

また、このエピソードの難易度を正確に把握するためには、できるだけ定量的に、

エピソードの舞台装置

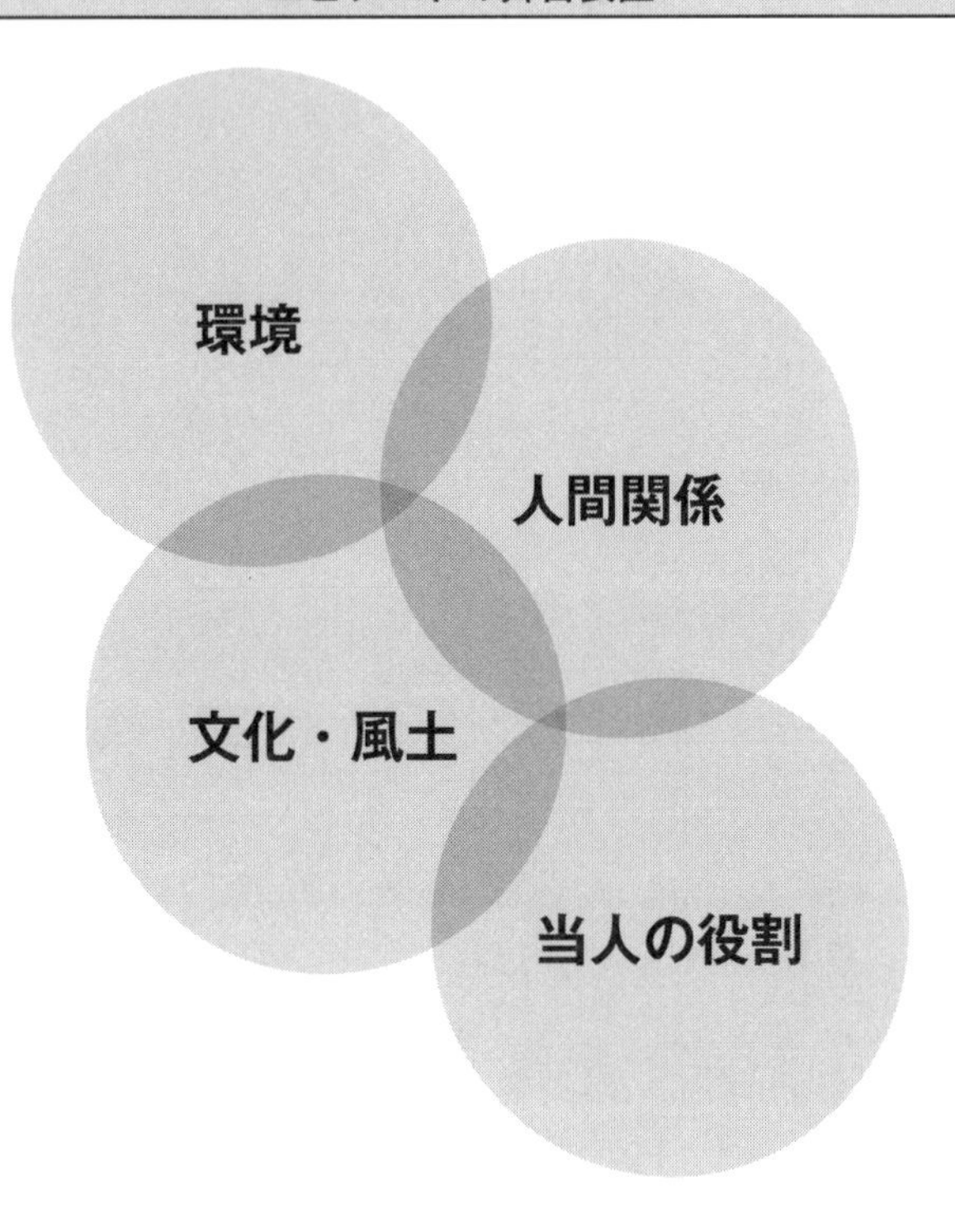

環境について確認する必要があります。

例えば、「長期間にわたって継続しました」と言われても、それは３か月なのか、１年なのか、はたまた３年に及んでなのかがはっきりしません。往々にして候補者はエピソードをぼかして話すことが多いため、面接官は意識的に細かく確認するようにしてください。

これまで申し上げてきたことを実際の面接での会話で例示してみましょう。

候補者「私は焼肉屋さんでアルバイトをしていましたが、コロナ禍で客足が遠のき、赤字になってしまいました。（問題）

そこで私は、焼肉弁当などのテイクアウトメニューを作ったりしました。

（対策）

その対策が功を奏して、売上は順調に伸びて黒字化し、全国30拠点中、第一位の売り上げを上げることができました」（結果）

最初、候補者はこれだけを言うことが多いのですが、そこで面接官は以下のような質問を追加しなければなりません。

面接官「働いていた焼肉屋さんはどんなお店だったのですか？」（舞台装置）

候補者「目黒郊外の大岡山（おおおかやま）にある30席で、アルバイトが全部で10人ほど働いているお店でした」

面接官「お客様が来ない理由をどう考えて、どんなアイデアの選択肢があり、なぜその対策を実行したのですか？」（思考）

候補者「周囲の友人などにヒアリングして、原因はコロナの感染を恐れてお店での飲食を怖がっている人が多いからと考えました。ランチタイムの営業を行ったり、チラシを作って周囲の住宅にポスティングをする、という手段も考えましたが、そもそも店に来ること自体を恐れているので、最も効果的なのは、店に来なくてもいいようテイクアウト用のお弁当を作るのがいいのではないかと考えました」

面接官「対策は最初からうまくいきましたか。何か苦労したことはありますか？」
（苦労）
候補者「今まで、店で食べてもらうことしかしてこなかったので、冷めてもおいしく料理するにはどうすればよいのかとか、作り置きなので食材に無駄が出ないように、需要を予測してどれくらいの数のお弁当を作ればよいかが最初はなかなかわかりませんでした」

このように、候補者が言わないことの多い「舞台装置」「思考」「苦労」をぜひ聞いてあげてください。

志望度を聞いて、「どれだけ口説けばいいか」見極める

最後に、第2章から「志望度は評価するものではなく高めるものだ」とお伝えしていますが、それは今が空前の売り手市場だからということだけでなく、ジャッジの精度の観点からも問題があるからです。

面接でよくある失敗例として、「御社が第一志望です。なぜなら御社にはこんな魅力がたくさんあるからです」と熱意十分な候補者に対して熱意があるからという理由だけで合否を判断してしまい、いざ入社してみれば思うように活躍できていない、というケースが多々あります。

これは、志望度の高さや志望動機の明確さは、あくまで候補者の「思っていることに過ぎないこと」、つまり主観的意見であり、その人の能力を裏づけるものではないからです。

とはいえ、「じゃあ志望度なんて聞かないほうが良いのか」というと、そういうわけでもありません。

なぜなら、現時点での志望度や志望動機を確認することで、今後口説く必要があるかどうかわかるからです。

志望度を確認する3つの視点

「志望度はまだ高くないが、この人は優秀で、ぜひ当社に欲しい人材だ」と判断した場合は、相応のフォローが必要だと判断ができます。

ちなみに、候補者の志望度を推し量る方法として、3つの観点を紹介します。

人は本当に興味があることや、やりたいことであれば、

①そうなったきっかけや背景を明確に語ることができ、

②それについて具体的・詳細な自分なりの考えや意見も持っており、

③それが好きだからこそ、十分一貫した行動を取ります。

このような、いわゆる「根っこの生えた志望動機」を確認する際は、この3つの観点にきちんと答えられるかで推し量ることができます。

ただし、繰り返しになりますが、志望度だけでジャッジをするのはNGです。

これも例をあげますと以下の通りです。

候補者「私は、地球環境問題に大変興味があり、御社が環境問題に対して貢献する事業をやっているため、私もそれに携わりたいと思って応募いたしました」

面接官「環境問題に関心を持ったきっかけは何だったのですか？」（きっかけ）

候補者「私は◯◯な環境で生まれ育ち、◯◯な経験があって、それに影響を受けたからです」

面接官「環境問題と言えば、電気自動車とハイブリッドカーの論争が続いていますが、あなたはそれについてどう思いますか」（意見）

候補者「私は◯◯と思います」

面接官「環境問題に関心があるとのことですが、小さなことでも構いませんので、何かこれに関連して行動に移していることなどはありますか」（行動）

候補者「私か環境問題に関して◯◯なことをしています」

志向（例：志望動機）を確認する３つの視点

例えば「A」に対して興味がある、好きであれば…

きっかけ

①きっかけの納得感

A を好きになった背景が納得できるか

意見

②詳しさ

A について詳細に語ることがたくさんある

行動

③行動化の程度

A が好きであるがゆえの行動をたくさんとっているか

ここまでをまとめると、ほしい人材を見抜くためには、フリーの「自由形」面接ではなく、ジャッジ基準をある程度統一した「指定形」面接を取り入れましょう。

また、個々の面接官が面接で確認すべきことは、候補者が実際に行ってきた「客観的事実」、つまり具体的な経験やエピソードです。そしてそのエピソードは本当に当人が取り組んだことか、という真偽を確かめるための突っ込みポイントを押さえるようにしましょう。

第5章

ほしい人材を「口説く」ための大原則

口説きの原則は「人を見て法を説け」

ここまで実践し、ほしい人材を集め、見抜くことができたならば、ようやく最後は「口説く」フェーズです。

「口説く」と言っても、もちろん無理やり引っ張ってくるようなことをするわけではありません。入社してほしいと思う候補者は自分の意思で自分の道は決めたいと思うでしょう。

ここでの「口説く」の定義は、**採用担当者が様々な情報提供することを通じて、最終的に候補者が「自分で入社を意思決定する」ことをサポートすること**を指しています。

何度も申し上げているように、知名度のない会社において、この「口説く」フェーズはほしい人材を獲得するために最も重要なフェーズです。

「ぜひうちに入社してほしい！」と感じる優秀な人材を発掘できたとしても、うまく口説いて入社を決意してくれなければ採用成功とはいえません。

まず、採用における口説きでは、「人を見て法を説け」。これが基本中の基本です。

この言葉は、お釈迦様が人々に仏法を説くとき、それぞれ人に応じた方法で説法したという故事によるもので、〝相手の性格や価値観、場面などを踏まえてその人に最もふさわしい方法で説得しなければ響かない〟という意味です。

「魔法の口説き文句」なんてない

私たちは皆、何を重視し、何に価値を感じるか人それぞれ違います。いわゆる性格や価値観の違いというものですが、この違いが就職活動・転職活動で会社を選ぶ際にも大きく影響します。

例えば、「会社の中で早く高い地位に就いてお金をたくさん稼ぎたい」と思っている人もいれば、「自分が好きな仕事をのびのびとできる環境で、スキルや人脈を獲得したい」と思っている人もいます。だから、本来はその人に最も刺さる口説き方というのは異なるはずで、**「どの人物もすべて入社してくれる**

キラーフレーズ」というのは存在しません。

つまり、人によってベストな口説き方がある、ということです。

それにもかかわらず、候補者を十把一絡げに捉え、「これを言えばきっとうちに来てくれるはずだ」と同じフレーズを使い回す会社は多くあります。

よかれと思い、どんな人にも、

「うちの会社は20代のうちにマネージャーになれる環境なんですよ!」

と伝えても、「出世よりも好きな仕事をしたい」と重視する人にとっては、

「ああ、早くからマネジメントを任されて、好きな仕事に打ち込む時間がどんどん削られていくんだろうな。私はマネジメントなんかしたくないのに……」

と思われてしまうかもしれません。

また、「一緒に働く仲間との相性や、会社の雰囲気がマッチしていること」を重視する候補者に対して、「自社の事業価値や社会的意義の高さ」について意気揚々と説いても全く刺さらないでしょう。

こういった候補者はむしろ「当社のメンバーはこんな顔ぶれで、職場の雰囲気は

こんな感じです」という説明が聞きたいかもしれません。

このような「十把一絡げトーク」では、むしろ逆効果です。「それなら面接を受けるのを止めておこう」と思われかねません。

「下手な鉄砲も数撃ちゃ当たる」「運頼み」では、戦略的に候補者フォローをしているとはいえません。

だからこそ、「人を見て法を説け」という一人ひとりの価値観に合わせて、得られるものを訴求する「個別性」が口説きの大原則なのです。

口説くための重要な3ステップ

それではここから、採用における最終かつ最重要フェーズで必要な「口説き力」を高めるにはどうすればよいのかについて考えていきましょう。

私たちは企業や採用担当者の「口説き力」は、

●何を話すか？（コンテンツ）
●それをいつ、どのように話すか（ステップ／順序）

この2つの要素で決まると考えています。

特に後者の「ステップ／順序」は忘れられがちですが大変重要です。「この候補者に入社してほしい！」と思っても、ステップも考えずに、とにかく最初から前のめりで口説きまくればいいわけではありません。

男女の恋愛でも、いきなり突撃してくる人にはドン引きしてしまうことはよくあることです。恋愛も採用も物事には順序があるということです。

「口説く」というと初めから熱心に説得したり勧誘したりするイメージがありますが、その人にとってベストな口説きを行うためには、まず目の前の相手を深く知ることが必要です。そして、相手のことを深く知るためには、信頼関係が土台としてできていることが何より必要です。

つまり、口説きのステップは

①信頼関係構築→②情報収集→③説得勧誘

という3つのステップを踏む必要があります。

注意していただきたいのは、どのステップを飛ばすこともできませんし、順番を入れ替えてもいけないことです。良い採用ができる会社は、必ずこのステップを踏んで、候補者を口説いています。

この後の第6章〜第8章では、この3つのステップについて一つずつ詳しく説明していきますが、ここではまず各ステップの概要とゴールを示します。

①**信頼関係構築**：このステップのゴールは、候補者が心の中で思っている本音を話してもらえる関係性を築くことです。採用者側から自己開示を行い、候補者との共通点を積極的に見つけることがポイントです。

②**情報収集**：このステップのゴールは、候補者が抱く自社への不安や疑問などネガティブなことも含めて様々な本音を収集できることです。収集すべき情報はありますが、特に大切なのは「やる気の源泉（モチベーションリソース）」「キャリア志向」「自社に対するフックとネック」「強く影響を受けている人」の4つです。

③**説得勧誘**：このステップのゴールは、候補者が重視する情報を提供しながら、意思決定（内定承諾）を促すことです。ここでのポイントは、相手に合わせて伝える

情報の種類と量をカスタマイズする個別性です。

ほしい人材を口説くためには、必ずこの3つのステップを踏む必要があることを覚えておいてください。何を話すかというコンテンツについては、この後の章で具体的に紹介します。

「これをしたら志望度が下がる」面接でやってはいけないNG行動例

実は、選考の過程で候補者の志望度が上がったり下がったりする要因には2種類あります。

一つは動機づけ要因（こういう関わり方をしたら志望度がさらに上がるもの）。

もう一つは衛生要因（こういう関わり方をしたら志望度が下がってしまうもの）です。

動機づけ要因は、まさに先ほどの「口説きの3ステップ」で語る候補者への魅力づけです。しかし、人間は衛生要因をクリアして初めて動機づけ要因の方に影響を受けます。

つまり、どんなに魅力的な条件で相手を口説いても、それ以前に最低限守るべきことが守れていなければ（面接で言ってはいけないことを言うなど）、せっかく行った口説き自体、効果がなくなってしまうのです。

では、はじめに衛生要因をクリアするために、具体的にやってはいけないNG行動をいくつか紹介しましょう。

▼NG行動１：面接開始早々にいきなり本題に入る

面接は、人と人が出会う場として特殊な場です。知らない人が急に目の前に現れて、自分のキャリアや人生について根掘り葉掘り聞かれ、その結果なんらかの評価が下される、というキツい場面は採用面接以外ではあまり見かけません。

どんなに面接官がフラットに接しようと気をつけていても、そこには「採用する側」と「される側」というパワーバランスが存在します。どんな候補者でも、基本的に緊張して面接に臨んでいることを理解してください。また面接官側は「面接一筋10年」という面接のプロはいても、「就職活動一筋10年」という就職のプロはいません。つまり、候補者は基本的に不慣れな状態で面接にやってきますので、一定緊張してしかるべきでしょう。

そんな候補者が緊張している状態で、いきなり志望動機など本番の質問に入ってしまえば、候補者の本音はまず引き出せません。本音が引き出せなければ「この候補者は当社にマッチしているか?」という評価もできませんし、口説きの観点でも圧迫面接のように感じられ、マイナスにしかなりません。

そのため、**本番の質問に入る前には必ずアイスブレイクの時間を取るようにしましょう。**アイスブレイクとは「候補者の氷(緊張や構え)を解かす」ために、気軽な言葉を投げかけることです。

「面接は初めてですか?」

「緊張しますよね~、私も同じく緊張しています…ハハ」

「今日の面接会場までは迷いませんでしたか?」

面接冒頭の5分程度でかまいませんが、候補者の緊張度合いを見て多少調整しても良いでしょう。

これを取り入れるだけで、劇的にその後の結果が違ってきます。

ただし、あまりにくだけた言葉遣いで、馴れ馴れしすぎると逆に失礼にあたることもあります。面接官よりも年上の候補者であるならもちろんのこと、年下の候補者であっても初対面の他人です。基本的に面接では終始、敬語で会話するようにしてください。話をするうちに打ち解けてきて、硬い言葉で話すこと自体が逆に不自然になるような場合にのみ、砕けた言葉づかいをすることもあります。

▼NG行動2：ハラスメントに捉えられる質問をする

ハラスメントは両者のパワーバランスに差があるシーンで起こりがちです。よく取り上げられるのは、上司─部下関係などですが、先ほども述べた通り、採用も同様に採用する側（面接官）とされる側（候補者）にどうしてもパワーバランスの差が生まれます。

そのため、候補者がどう感じるかを、面接官側が常に意識しておく必要があります。

例えば、ジェンダーハラスメントとして「男性なのに○○なんですか？」「女性だから●●でしょう?」という質問をしている場面などです。こういった質問を、面接官側は悪意もなく、無意識に聞いてしまっているケースがよくあります。聞いても良い質問か、その判断材料として、「相手が仮に男性・女性でも同じ質問をするか?」と意識すると良いでしょう。

▼NG行動3:候補者から質問を受ける時間を設けない

面接は「相互評価の場」です。候補者も面接官を評価していることを忘れないようにしてください。採用側が合否を判断するための情報収集ができていれば良いわけではなく、自社のことを理解してもらえるよう情報提供をする場でもあります。一方的に聞くだけ聞いて「はい、以上で面接は終了です」と終わってしまっては、候補者は身ぐるみをはがされたような気分になり、志望度は下がってしまいます。

面接最後には必ず質疑応答の時間を確保して、できる限り質問の機会を作るようにしましょう。その際注意が必要なのは、候補者のエピソードを聞くのに熱中していると、面接時間が押してしまい、結果的に質疑応答の時間が取れないことです。しかし、当初伝えていた面接時間を押して延長してしまうのも候補者の満足度を下げる要因になります。

そのため、面接の時間割りはできるだけ構造化しましょう。

「あいさつ・説明５分」、「アイスブレイク５分」、「ヒアリング40分」、「質疑応答と締め10分」と各時間を確保しておくのが良いでしょう。

ヒアリングの時間内で聞き切れなかった情報は、次の面接官に申し送りをして、確認してもらいます。質疑応答の時間はそれくらい大切なものです。

まずは無意味に志望度を下げないようにすることからです。

これらを最低限守ったうえで、候補者の口説きに入っていきましょう。

内定後に口説き始めても遅い

では、いつから口説き始めるのか。大前提として、「内定が出してから口説き始めるのは遅い」と理解しておきましょう。

候補者の立場を想像してみると、選考中は「化けの皮を剝がしてやろう」とばかりにいぶかし気な態度で接してきた採用担当者や面接官が、内定となった瞬間、手のひらを返したようにもみ手ですり寄ってきたら、どう思うでしょうか？

それこそ鼻白む思いをして、志望度は急激に冷めてしまいます。

だからこそ、**採用担当者は選考中から「一緒に自社の選考を頑張りましょう」と共闘の姿勢を示すことが重要なのです。**

知名度のない会社でも、選考中から内定後まで候補者の志望度を下げない採用担当者は、候補者に寄り添います。そして採用面接後に合格を伝えた後には、

「次の面接も一緒に頑張りましょう。そこまでに何か不安なことや不明点があったら、いつでも聞いてください」

と、仲間のような姿勢で話しかけるようにしましょう。

最終面接手前ではすでに候補者は「同志」

一般的に、面接官はジャッジ（見抜き）がメインの役割であるため、あまりに共闘の姿勢を前面に出すのは不自然に見えるかもしれません。そんなときは、他の採用担当者や人事はフォローをメイン役割として分担するのも一手です。

とはいえ、１次選考の段階では、まだ自社へのマッチ度がバラバラで、本当に自社がほしい人材か見抜きされていないでしょう。この段階から、候補者全員にすでに入社してもらおうと「仲間のような姿勢」を示すのは、企業側のマンパワーとして現実的ではありません。

共闘の姿勢を出すベストタイミングは、最終面接手前くらいを意識します。

最終面接手前くらいまで選考が進むと、候補者数もかなり絞り込まれており、残った人材は自社へのマッチ度も高い人たちです。

実際に、最終面接前に残った候補者に対して、人事が「なんでも質問会」や「志望動機ブラッシュアップ面談」、「最終面接模擬練習会」などを行っているケースもあります。

第2章で述べた通り、最終面接では志望動機や自社への理解度をはかる会社は多くあります。しかし会社に貢献する優秀な社員を獲得しようと「攻めの姿勢」をとる会社は、直前に自社への不明点をクリアにしておく目的で、質問会や、志望動機を整理する面談会などを挟んでいます。

特に最終面接前などには、候補者に別途時間を取ってもらい、「最終面接でどんなことを話そうとしているのか」を事前に話してもらってアドバイスをしたり、「最終面接でもしも言い足りないことがあったらいけないので、私に全部教えておいてください」と採用担当者がロングインタビューを先にしておくこともケースによっては効果的です。

つまり、**選考中から候補者にとっての「同志」となることを目指すわけです。**

もちろん、いきなり採用担当者が「今から私はあなたの支援者だから」と言ってすぐに信頼してくれるわけではありません。しかし、そこを目指すのです（詳しくは次の章「信頼関係の構築」でお話しいたします）。

そうすれば、候補者は、選考企業ではあるけれどもフラットに自分のキャリアを応援してくれている仲間ができたと感じ、結果的に志望度は下がらないまま内定後まで維持できるのです。

ちなみに、フォロー担当者は、必ずしも人事でなくとも、誰か現場社員を「リクルーター」や「メンター」（指導者、助言者）としてつけても良いでしょう。

むしろ、人事がいかに「私はジャッジする立場ではなく、あなたをフォローする役割だから安心してくださいね」と伝えても、立場的に候補者の「構え」を取り除きにくい場合もあるでしょう。この場合は、人事でも面接官でもない、第三者の現場社員がリクルーターとして同志になるのが適任かもしれません。

本人に「自分で選んだ感」がないと大失敗する

ここまで「口説く」という言葉をたくさん使っていますが、誤解を招かないように改めてお伝えしておくと、「口説く＝手八丁口八丁でだまし、本人の意志を変えて洗脳する」という意味ではありません。冒頭でも述べたようにあくまで本人に選んでもらうように導いていくことを指しています。

これを理解せずに、これから詳しく紹介する採用術としての口説きを表面的に行っても、入社後に必ずボロが出てしまいます。

「入ってみたら思っていたのと違った」「こんなはずじゃなかった」「裏切られた」という、入社後のギャップ（＝リアリティショック）による早期離職は「あなたが騙した結果によるもの」といっても過言ではありません。

一般的に、新入社員のモチベーションは入社3か月間で徐々に低下し、その後緩やかに上昇していく「Jカーブ（左ページ）」を描くといわれています。

なぜ入社後、一時的にモチベーションが低下するかというと、先ほど述べたギャップ（リアリティショック）を大なり小なり感じるからです。

パーソル総合研究所の調査（2019年）によると、社会人1~3年目で、入社後何らかのリアリティショックを受けた人の割合は76・6％にも及びました。

つまり、約8割もの新人が、入社前にイメージしていたものと入社後の実態に乖離があったと感じているわけです。そもそもどれだけ企業側が頑張ってコミュニケーションを取ろうとしても、最後は入ってみないとわからない、一定のリアリティショックは必ずあるものとして受け入れるしかない、ということです。

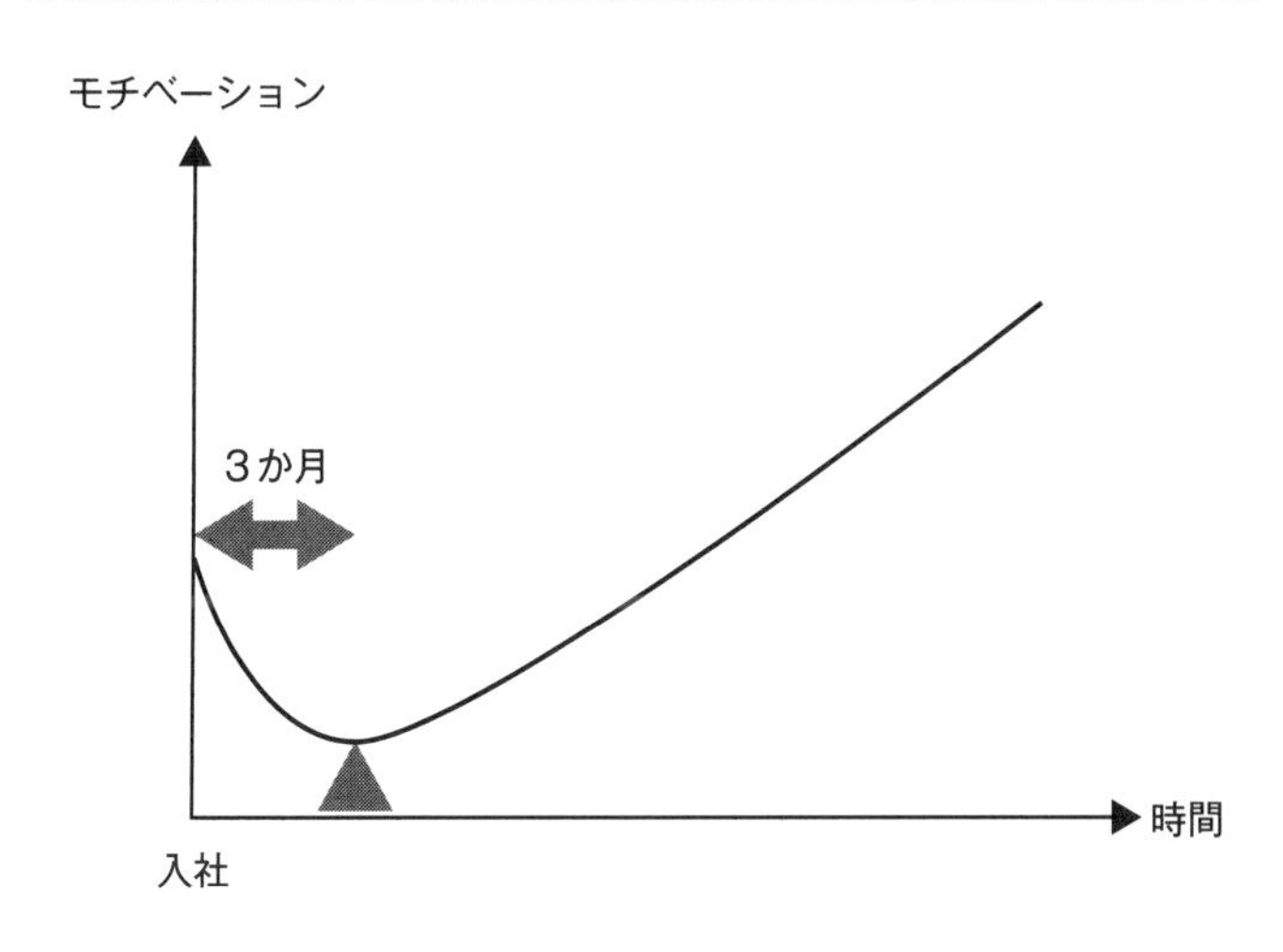

しかし、そのリアリティショックをできるだけ小さくする努力はすべきです。

採用担当者があることないこと口八丁に話し、候補者に無理やり入社を決意させても、入社後のリアリティショックが大きくなるだけで本末転倒です。早期離職も、ローパフォーマンスも、採用ミスマッチの結果です。

これを防ぐためにも、強引に口説いても入社後に「だまされた」と思われてはダメで、あくまで候補者が〝自分で選んだ〟と思ってもらう感覚が大事なのです。

そのために採用担当者や面接官は、押すべきところは押し、引くべきところは引きながら適切に情報を提供しながら、候補者の意思決定を促していくわけです。

人には、自分の意志で選んだものは悪かったと思わない「自己正当化バイアス」が働きます。

候補者を口説く中では、**一つひとつ「言質を取っていく」こと**もポイントです。

言質を取るというのは「後で証拠になる言葉を相手から引き出す」という意味ですが、候補者が自社を選んだ理由を口に出しておくことによって、入社後に一定のリアルティショックを感じたときにも、「私がこの会社を選んだ理由ってなんだったっけ……ああ、こんな理由で入社を決めたんだった。自分で納得して決めたからにはもう少し頑張ってみようかな」と思えるわけです。

候補者の「言質を取る」会話例としては、例えば、内定後の初回面談で、

採用担当者「現時点のものでかまいませんので、○○さんが当社に魅力を感じてい

ただいている部分を具体的に教えていただけませんか？」

候補者「そうですね。これまで面接や面談で何人もの現場社員の方々とお話しする中で、『一人ひとりがこんなに熱い想いをもって日々の仕事に向き合っているんだ』と感じ、その仕事への本気度が一番魅力に感じています。私自身このような方々と一緒に働きたいと思いました」

とあったら、内定を承諾してくれた直後に、

採用担当者「内定承諾ありがとうございます！改めてですが、○○さんが最終的に当社に入社を決意してくださった理由を教えていただけませんか？」

候補者「私は『こんな人たちと一緒に働きたい』と思えるような社員の人柄や会社の雰囲気を一番重視して転職活動をしてきました。その中で御社は私がこれまで出会った企業の中で一番社員の方々の目が輝いていたように思います。特に事業所を見学した際に、仕事に没頭している姿を直接見たのが私の入社意志が固まった決定的な瞬間でした」

と伝えることができるでしょう。採用担当者が行う「口説き」というのは、候補者にそう感じてもらうための情報提供をサポートするという意味もあるのです。

究極の口説き文句は「とにかくあなたがいいんです」

このように、様々な角度からその人に合った情報提供や自社の魅力を訴求することが口説きの基本ではありますが、心を持つ人間を相手に口説くうえでは、究極的には「あなた自体が好きだからうちに来てほしいんだ」が一番の口説き文句でもあります。

名づけて**「No Reason作戦」**です。

様々な理由を並べて入社を迷う候補者に対して「私もあれこれ言ったけど、結局あなたのことが欲しいのよ」と最後の一押しをする口説きの最終奥義です。

例えば、これまでに何度も面談を重ね、こちら側から伝えられる情報はもうほぼすべて提供したものの、どうしても決めあぐねている候補者に対しては、

採用担当者「これまで〇〇さんが当社に合っていると感じる理由を私なりにたくさんお伝えしてきたつもりです。ただ、このタイミングなので正直にいえば、私自身があなたのような人と一緒に働きたいんです。それに対して説明できる論理的な理由などありません」

と伝えましょう。

最後、こう勇気をもって伝えられるか、この言葉が言えるかどうかが、一流の口説き担当者かどうかを決めると言っても過言ではありません。

多くの人は、自分の持ち物（資質）を褒められることより、自分の存在自体を肯定され、認められる方が嬉しいものです。

恋愛のシーンでも、「あなたにはこんな社会的地位があって、名声があって、年収がこんなにあるから好きなんです」と言われても、「それって私のことが好きなんじゃなくて、私がもっているものが好きだってことだよね……。ってことはそれがなくなったら好きじゃなくなるじゃん」と思うでしょう。

これは採用のシーンでも同じです。

「あなたはこんな学歴で、こんな能力を持っているからうちに入ってほしいんです」

と口説かれるのはよくあることです。別に不自然なことでもありませんが、

「あなたと一緒に働きたいから」

「あなたの考え方に共感したから」

と言われた方がうれしく感じることはないでしょうか。

それは自分の持ち物ではなく、存在を肯定されたからではないかと思うのです。属性や持ち物は否定できても、相手の〝好き〟という感情は否定できません。

そもそも本来、好きに理由なんてありません。「蓼食う虫も好き好き」(好きは説明できない)です。

また、候補者側の心理状態としても、「○○という理由で良い会社だと思ったから選んだ」ではなく、「明確な理由はうまく説明できないけど、なんとなくこの会社が好きだから選んだ」という方が入社後のギャップで裏切られたとは感じにくいでしょう。

なぜなら、「○○だから好き」という〝理由ある〟好きは、相手に抱く期待が明確である分、その期待が裏切られたときのショックは大きくなる、という危険もは

らんでいます。

これが、入社後のリアリティショックの大きさにつながるのです。

また、「愛されたから愛し返す」ともいわれる通り、「好き」には返報性（へんぽうせい）がありま す（好意の返報性）。

候補者にとって「こんなに自分を求めてくれるから、自分もその思いに応えたい」と感じ入社を決意するきっかけになるかもしれません。

このように最後の最後は、論理的に分解できるものではなく、採用側と候補者側で双方**「好きだから選んだ」というのが最強な状態です。**

だからこそ、〝理由なき〟好きで口説くのは究極の口説き文句なのです。

「あなたと私はどれほどフィットしているのか」をフィードバックする

ただし、「Ｎｏ Ｒｅａｓｏｎ作戦」はあくまで最終奥義です。後の章で詳しく述べますが、候補者の意思決定スタイルによって、この作戦が響きやすいタイプと響きにくいタイプがいます。

また、伝えるにしても「順番」が肝心です。

はじめから「とにかく好きだ」の一点張りでは、「具体的にはどこがですか?」と言われてしまうでしょう。

そのため、最後に「No Reason作戦」を発動するにしても、まずは候補者の能力や性格、価値観がいかに自社とフィットしているのかを具体的に伝えることが大前提です。

これは専門的には「P-O fit(Person-Organization fit)」と呼ばれ、P-O fitが高いこと、つまり「あなたと私はこんなにフィットしている」とフィードバックすることで候補者の志望度が高まることが学術研究においても検証されています。

より具体的には、P-O fitはそれぞれ3つに分かれますが、候補者に合わせたフィードバック内容を考える際には、これらの観点で整理するとわかりやすいでしょう。

●Supplementary fit:この候補者と自社は、考え方や価値観などにおいてどれくらいフィットしているか?
●Need-Supply fit:この候補者が求めるもの(働き方、待遇面、キャリアパスなど)

と自社が提供できるものはどれくらいフィットしているか？

●Demand-Ability fit：自社が社員に求めるもの（求める人物像）とこの候補者の資質はどれくらいフィットしているか？

そしてもう一つ、フィードバックのポイントは「ただ褒めればよいわけでもない」ということです。

そもそも、「あなたと私はこんなにフィットしている」とフィードバックする目的は、候補者に「新しく入るこの会社で、自分はやっていけそうだ」という自己効力感をもってもらうことです。

自己効力感とは、あるタスクに対して「何でもできそうな気がする」感覚のことです。ただし、自己に対する信頼感という意味において、自己肯定感（「このままでいいのだ」）や自尊心（「自分はすごい」）とは異なる概念です。

候補者に自社の仕事に対する自己効力感を感じてもらうためには、「あなたは素晴らしい」「優秀だ」とただ褒めるのではなく、

「あなたがこれまでのキャリアの中で培ってきたこんな力は、私たちの仕事でこん

なところに活かせると思います」

「前回の面接で〝ゆくゆくはこんなキャリアを描きたい〟を言っていたけど、弊社ではそれをこんな形で実現できると思います」

と、丁寧に事実を伝える方が効果的なのです。

上司が部下に行う人事評価のフィードバックなども同様ですが、何よりもフィードバックは具体的な事実に基づいて伝えることが重要です。

「一番自分のことを理解してくれた」と思わせれば勝ち

この章で述べたことをまとめると、口説きの基本は「人を見て法を説け」という個別性が大事で、候補者に〝自分で選んだ〟という感覚を持ってもらわないと口説きは成功とはいえない、ということ。そして、最後は本人にいかに単なる合理的な計算や理屈ではなく、フィット感を持ったり、好きになってもらったりといった感覚的な理由も加えて、意思決定をしてもらうか、が口説きの腕の見せ所というお話でした。

筆者の経験からも自分にとって「最も理想な会社」ではなく、**「最も貢献したいと思える会社」に入る方が、入社後のモチベーションや活躍が高まるようにも思えます。**

そもそも、どれだけ合理的に考えたところで、入社前に手にできる情報は少なく、また、どんなに「良い会社」に見えたところで多くの人がリアリティショックを感じるように完璧な会社などないからです。「良い選択をする」のではなく「選択をしたものを良いものにする」のが人生において重要ではないかと私たち筆者は思います。

採用もその一つではないかということです。

私たちが普段、人事コンサルティングの一貫で、優秀な新卒就活生や中途転職者に「どうして今の会社に決めたのですか？」とインタビューしたとき、「あれこれ理由は考えたけど、結局この会社が私のことを一番理解してくれていると思ったんです」という内容がとても多いです。

それほど、人間の根底には「理解されたい」「認められたい」と言う承認欲求が根付いています。

候補者を口説く採用担当者からすれば、相手にぜひ「あなたが一番私のことを理解してくれていると思ったんです」と言ってもらいたいものです。

恋愛のシーンでも、はたから見たら一見「なんであの人とあの人が!?」と思われるようなカップルの組み合わせが実際たくさん成立しているのも、当の本人たちからすれば好きに理由なんてありません。「ただ、この人が一番自分のことをわかってくれている」というのがやはり最強なのでしょう。

そして、採用場面で候補者がこの感覚を得るためには、採用担当者と互いに深い話を共有し合っている状態が必要となります。

それでは次の章では、深い話ができるようになるための前段階である「信頼関係構築」について詳しく紹介しましょう。

第6章

ほしい人材を「口説く」ためのステップ①

候補者と信頼関係を築く

相手を口説くファーストステップは「信頼関係を構築すること」から

前章で、口説きには何よりステップが重要だと述べました。

特にファーストステップである信頼関係の構築ができていないと、その後に候補者から深い話を聞くことができず、相手に合わせた最適な情報提供や説得勧誘をすることもできません。

そのためにはまず、「この人にはどんなことを言っても、偏見を持たれることなく、親身になって耳を傾けてくれそうだ」という揺るぎない信頼を勝ち取らなければなりません。「この人になら何でも相談ができる」と思ってもらう関係になるのです。

特に新卒の学生にとって採用担当者や面接官は年上で、自分がまだ経験したことのない社会人でもあり、同時に「生殺与奪の権利」を握っているジャッジ側でもあります。もちろん新卒だけでなく、第二新卒などの若手社会人も同じ立場です。

加えて、第5章で述べた通り、面接官は「面接一筋10年」であっても、「就職活動一筋10年」はいないように、就職活動や転職活動に慣れている人はほぼいません。

日頃何人も面接を経験している採用担当者や面接官にとって、候補者は「One of Them」かもしれませんが、候補者にとってこちらは自分の人生を左右しかねない大事な一人です。その採用担当者や面接官にどう思われるかを常に気にしています。

このように、彼らにとっての採用担当者や面接官は、こちらが思う以上に**「よくわからない怖い人たち」**で、**「どう思われるか不安で得体のしれない存在」**なのです。

彼らは採用担当者に対して「どこまで本音で話をしたら良いんだろう」「本音で話しすぎると落とされるんじゃないか」と思っているのがふつうです。

その状態からスタートし、何でも相談して問題なさそうだと感じてもらうまでには、戦略的なコミュニケーションが必要不可欠です。

「心理的安全性」という言葉が最近ビジネス場面におけるトレンドワードになっていますが、これは入社後のチームビルディングだけでなく、採用場面においても有効な概念です。

「心理的安全性」とは改めて何かというと「安心してどんどん話し合える良い人間関係」のことです。決して「馴れ合い」や「優しい空気」という意味ではありません。

採用場面でこの「心理的安全性がある状態」というのは、いわば、候補者が自分の発言内容によって面接官から拒絶されたり、罰を与えられたりすることがないと確信をもっている状態です。言い換えると、「何を話してもここは安全な場所である」という信念を共有している状態ともいえるでしょう。この状態を構築するのが理想です。

「心理的安全性」は相手に対して、自分が無知だとか無能だとかネガティブだと思われる不安がある限り、構築されません。

そもそも口説くフェーズに入った時点で、この候補者は無知や無能ではないことが企業としては確証しているはずです。ですから、採用担当者や面接官は候補者にそう思われてしまってはいけません。

また、一般的に誰かと信頼関係を構築するには、相応の時間がかかるものです。ことと社会人の信頼関係は、「仕事を約束の時間までにきちんと終わらせる」「期待以上の成果を出す」ことで徐々に築かれていきます。しかし、採用場面では、もっと短期決戦で信頼関係を築く必要があります。

では、どのようにして候補者に短期間で「心理的安全性」を感じてもらい、信頼関係を築けるのでしょうか。

ポイントは**「積極的な自己開示」と「相手との共通点探し」**の２点です。

信頼関係は自己開示によって作られる

先ほども述べましたように、短期間で信頼関係を構築するにあたって「自己開示」は基本中の基本です。

相手のことを知りたければ、まず「自分はこういう人間である」とさらけ出さなければなりません。自分のことを何にも話していないのに、相手にだけ何でも話してもらう――そんな虫の良い話はありません。

特に面接においては、基本的に面接官側がうちの会社に入れてもいいのか、そのジャッジをするために候補者の話を根掘り葉掘り聞くことになります。

その時点ではどうしても相手に開示する情報量は「面接官＜候補者」となるでしょ

う。

候補者からすれば、自分が話してばかりで面接官のことはまだ全然よく分からない状態です。

たとえるなら、面接官が自分だけ鋼鉄の鎧（よろい）を着ていながら、相手に「裸になってください（＝本音を話してください）」と言っているようなものです。自分が何者かを先に相手に伝えない限り、本音の気持ちや深い話をすることなどできるはずがないのです。

実は心理学的にも、信頼関係構築に自己開示が良い理由がいくつか明らかになっています。

「自己開示―好意効果」といって、「実はわたしはこういう人間です」と自己開示をすると、相手は「この人は本来開示しないことを開示してくれた。その代わりに好意をお返ししよう」という心理になって相手の好意が上昇します。また同時に「自己開示の返報性」によって「自分も同じだけこの人に話してみようかな」と考えるようになります。

この返報性がさらに相手の好意を上昇させてしまうのが「認知的不協和理論」です。

人間は、認知（考えていること）と行動（やっていること）に一貫性をもたせたい生き物です。ここにズレ――つまり不協和が発生すると、それを是正しようと認知を行動に合わせにいきます。

つまり、自己開示の返報性によって、相手も同じだけ自己開示した場合、「本来、私は開示しないことをこの人に開示した。そんな行動を示した自分はきっと相手に好意をもっているはず」と考えるようになるのです。

このように、自己開示は短期間での信頼関係構築にとても有効なわけです。

また、どこまで自己開示をすべきかについては、**こちら側が引き出したい候補者の情報の深さと同等までを基準にします。**

深い話を聞きたければ、同じ深さまで自分から降りていくようにするのです。

例えば、候補者が就職活動で抱えている不安を知りたければ、採用担当者自身が就職活動のときに感じた不安や、それを乗り越えた経験などを先に話します。

そのことで、候補者も「面接でそんな〝ぶっちゃけトーク〟はしにくい思っていたが、この人になら話してみても大丈夫かな」と思うことができ、心理的なハードルを下げることができます。

そして、関係性を「一気に」深めたいときは奥の手を使うこともできます。

それは、**「悩み、コンプレックス、秘密」の共有です。** 皆さんも、複数いる友人・知人のうち、親友とも呼べる深い仲になる人とは、こうした悩みやコンプレックス、秘密を共有し合っているのではないでしょうか？

あるいは、ふとしたきっかけでお互いの悩み・コンプレックス・秘密を共有したことによって、親友と呼べる仲に発展したこともあるでしょう。

だからこそ、相手に好きになってもらうために、先に行動として自分の悩みやコンプレックス、秘密を開示するのが良いのです。

例えば、新卒学生を口説く場合、一例としてこのように深い自己開示ができるかもしれません。

面接官「ここまで色々なことをお話したあなただから言うのだけど、実は私自身、あなたと同じように学生時代はほぼ就活をしてこなかったんです。という

のも大学院に進むつもりで4年生の8月頃まで院試の準備をしてきたから、急遽進路変更した時にはもう世間の就活シーズンは終わってしまっていて。そんな私が今、採用担当者をしていて、就活に悩む学生さんの気持ちに寄り添えるのかと言われると自信が持てなかった。だからあまり公には言ってなかったんです。でも、私は就活をしていないけれど、大学院に進むか否かを考える中で、就活生と同じくらい自己分析をして目いっぱい悩んできたつもりです。だからそんな自分の経験を元に目の前の学生さんのキャリアを本気で一緒に考えていきたいと思っているんです」

少しずつ深い話をしていかなければ引かれて終わり

ただし、出会った相手にいきなり「私の秘密を教えてあげる」と、昔の挫折経験やトラウマなどを突然採用担当者が滔々（とうとう）と話し始めても、ドン引きされるだけです。他人との距離の詰め方が苦手な〝重たい〟人だと思われてしまいます。

自己開示する内容にもフェーズがあります。

段階的な自己開示を示す
『玉ねぎモデル（The Onion Model）』

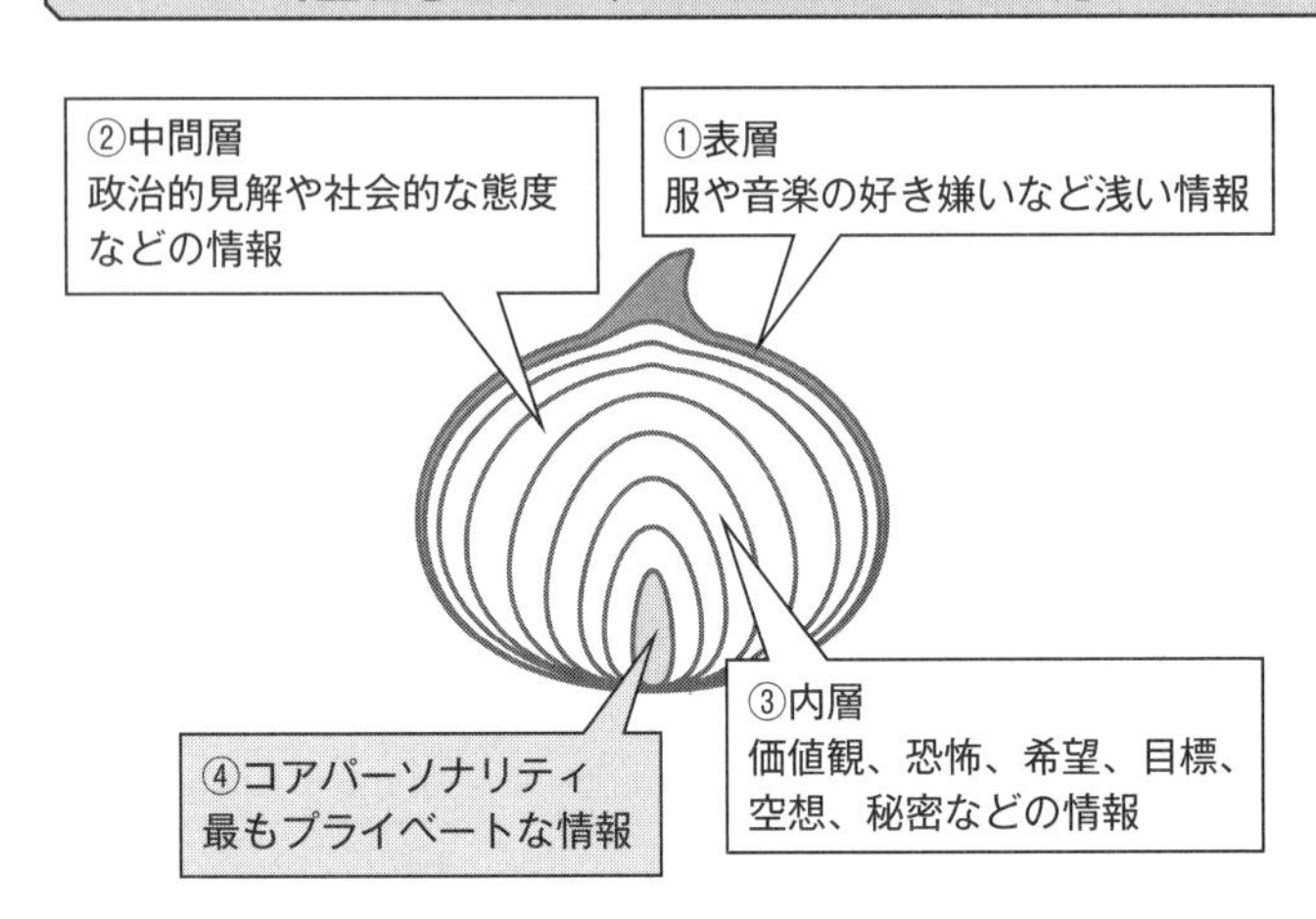

これは**「玉ねぎモデル（The Onion Model）」**と呼ばれ、玉ねぎの皮を一枚一枚剥いていくように少しずつ深い自己開示をしていくのです。

まずは好きな趣味・最近ハマっていることなど表面的な情報から始まり、少しずつ悩み・コンプレックス・秘密などの深い話に移っていきましょう。

先ほどもお伝えしましたが、両者が同じペースで自己開示の深さを上げていくのもポイントです。玉ねぎの皮をお互いに同じペースで剥いていくのです。

相手はまだ表層の自己開示しかしていないにもかかわらず、自分はどんどん内層まで自己開示してしまうと、相手を置いてきぼりにしてしまい、結局〝重い人〟認定されてしまいます。注意しましょう。

「どれだけ共通点を探せるか」が腕の見せ所

自己開示は候補者から信頼を得るには大変重要なことですが、単に自己開示をするだけで信頼を得られるわけではありません。

自己開示をしても性格や趣味が違えば、「ああ、この人は自分とは違う、わかりあえない」と思われてしまうことだってあるわけです。ですから、「玉ねぎモデル」にしたがって段階的な自己開示をするとき、相手に伝える情報はできるだけ相手と共通しているものが理想です。

これがまさに信頼関係を築くための２つ目のポイント、「相手との共通点探し」にあたります。

他人と距離を縮めるとき、「この人と私は共通点がたくさんあるはずだ」と感じてもらうことはとても大切です。

なぜなら人には、自分と同じ属性をもつ人に好意を抱きやすい「類似性効果」が働くからです。これは第4章で述べた通り、人材を精度高く「見抜く」うえでは避けるべきバイアスなのですが、「口説き」においては逆に有効活用することができます。

特に信頼関係構築のステップにおいて、候補者に親近感をもってもらうためには相手と自分の共通点を積極的に探し出し、それを会話の随所に混ぜていきます。

共通点が多いと、候補者は**「この面接官も同じような悩みをもっていたのではないか」「この不安を投げかけても理解・共感してくれるのではないか」**と感じやすく、さらに深い話をしてくれるようになります。

とはいえ、候補者と同じ高校・大学出身であったり、同じ趣味をもっているといった共通点がある候補者にあたることはそれほど多くはありません。また、雑談をする時間もない中、候補者との共通点がまったく見当たらない、といったことも十分あり得るでしょう。

しかし、採用担当者と候補者のそれぞれの特徴をより広い視点から見ると、実はカテゴリーや属性で共通点を見つけることはできるはずです。

例えば、候補者が心理学部卒業であれば、たとえ心理学を専攻していなくても、面接官は「昔、心理学系の授業に興味があって多く履修していた」という経験を話すことは可能です。

また、候補者が大学時代に軽音サークルに入っていたのであれば、面接官も高校時代に同じ音楽系であるオーケストラ部に所属していたと話したりすることもできます。

このように、同一の時期に同一の経験をしていなくとも、「広く括れば、あなたと私は一緒だね」と伝えられるような属性をいくつか見つけられるはずです。

そのためにも、候補者のフォローに入る前に、履歴書やエントリーシートなどの書類や面接評定表などに書かれている内容にじっくりと目を通しておくことが重要です。

なお、新卒採用など、面接官よりも候補者がずっと年下であれば、できるだけ候補者と同年代だったときに自分自身が経験してきたことや思っていたことを話すようにしましょう。相手が学生であれば、自分の学生時代の経験を、相手が若手社会人であれば自分も若手社会人だった時の経験や想いを話します。

そしてこの「共通点を探す力」は面接以外でも、鍛えることができます。

例えば、口説き役を担う採用担当者を全員集めて二人一組となり、お互いの自己紹介の後に、相手と自分の共通点をできるだけ探し、一番多く見つけることができた組が優勝、といったゲーム形式のワークショップなどがおすすめです。

相手の表層的な情報は、新卒採用の場合、エントリーシートの「趣味・特技欄」などから得ることができますし、「学生時代に力を入れたこと（いわゆる「ガクチカ」）」を聞く過程で見つけることができるはずです。

中途採用でも多くの場合、履歴書に「趣味・特技欄」があるでしょう。また特に中途の場合は、候補者の前職までの仕事経験をヒアリングする中で、自分のこれまでの経験と同じようなものがないかを探していきましょう。

「私もあなたと同じようなプロジェクトにアサインされて苦労したことがあるよ」という共感の言葉で、嫌な気持ちになる候補者はいません。

また、希少性の高い属性や経験が共通していれば、信頼関係を築くうえでさらに効果を発揮します。

例えば、東京の会社で沖縄県出身者同士などは珍しいでしょうし、全国で競技人口の少ないカヌー部同士なども、出会う確率がそもそも低い偶然です。この偶然に運命を感じさせるように、面接官はできるだけ候補者と共通しているかつ希少性の高いものを見つけるようにしてください。

「入社動機」は深い自己開示のベストタイミング

このように段階的かつ共通点に特化した自己開示をしていけば、場が盛り上がるでしょう。

一定までお互いの距離が縮まると、候補者からある重要な質問が投げかけられます。

それは「○○さんはなぜこの会社に入ったのですか?」という入社動機です。

この質問をされたら、大チャンスです。いよいよ深い自己開示をして、ぐっと距離が縮まることができるからです。

そもそも、段階的な自己開示で次第にコアパーソナリティに近づいていきたくとも、深い話を自ら切り出すタイミングをうかがうのはなかなか難しいでしょう。その際、深い話を切り出すフックとなるのが、この入社動機なのです。

このとき、どれだけ「深い入社動機」を語れるかが、信頼関係構築の勝負の分かれ目になります。

「深い入社動機」というのは、「What（○○が好きだから）」だけではなく「Why（○○が好きになった理由はこんなライフヒストリーがあったから）」まで含めて語る入社動機のことです。

ありがちな入社動機として「私は自社の○○な理念、○○な風土、○○な事業に魅力を感じてこの会社に入社を決めました」という内容ですが、これでは語る本人について何も述べられていません。浅い入社動機では、自己開示とはいえません。

そうではなく、「Why」まで含めて話すことで本人がそこに魅力を感じたきっかけやそれまでの経験、エピソードなどの歴史、つまりライフヒストリーが必ずついてきます。

「○○に魅力を感じた」というのは、誰でも（自社の他社員でも）同じことがいえますし、まだ選考段階の候補者でも同じことがいえるでしょう。ここからは面接官の人となりは見えてきません。

反面、ライフヒストリーは一人ひとりの人生に紐づくもので、必ずオリジナルなものになります。以下は採用担当者が話す「人となりが見える入社動機」の例です。

「私は、元々、自然豊かな地方の小さな町で生まれて、幼少期は大人数の兄弟に囲まれながらのびのび育ってきたんだ。高校時代にはボランティア活動に積極的に参加して、地域の高齢者支援を行う中で、人との繋がりの大切さを実感した。大学では国際交流サークルに所属し、多様な文化や価値観を持つ仲間たちと交流する中で、自分の中に「共感と多様性の尊重」という価値観が出来上がって来たんだと思う。「人と人との繋がりを大切にしていくこと」が自分にとって一番大事だって考えて就活をする中で、今の会社を見つけたんだ。それで詳しく調べてみたら、うちの会社が持つ社員同士の温かい交流や、地場企業として地域貢献を重視する社風にすごく魅力を感じて、最終的な1社に選んだというわけなんだ」

このように、自身の生きてきた歴史（生育史）に基づいて話しましょう。すなわち、**入社動機は「ドラマティックに語れ」です。**

また入社動機は、面接官本人の深い自己開示だけでなく、自社の魅力を伝えることにもつながります。面接官自身が一人の求職者であったときに自社のどんな魅力が最終的な入社の決め手になったのかを、自然な形で紹介できるからです。

面接3分、面談10分、会食30分の法則

こうした深い入社動機は、準備しておかないとアドリブで話すのは難しいと思います。いつでも入社動機を話せるように、採用担当者や面接官全員は準備しておくべきです。

私たち筆者も、企業への面接官トレーニングの中でよく取り入れていますが、各自が自分の入社動機を思い返し、書き出し、別の面接官に語りフィードバックし合うといったワークをしています。

また、入社動機の事前準備をする際には、候補者と会う場面別にパターンを3つほど用意しておくとベターです。

面接ではジャッジも同時に行わなければならないため、候補者の志望度を高める

タイミングは、面接冒頭のアイスブレイクと面接最後の質疑応答のときしかありません。

質疑応答では入社動機以外にも候補者が質問したいことがあるでしょうから、入社動機を話す時間は相対的にかなり短くなるでしょう。話せて３分ほどかもしれません。

そこで、面接で無理やり口説くのではなく、ジャッジしない面談を別途設けたうえで、そこで志望度を高めるようにしましょう。

面談においては面接とは違い、相手に興味をもってもらえるよう、こちらから話す時間を長く確保します。１時間の面談であれば10分程度、入社動機を語る時間を取ってもいいでしょう。

そして完全に口説きを目的とした候補者との会食などであれば、語れる時間はさらに長く、30分ほどかけて入社動機を語りつくすことができます。

このように、場面に合わせてどこまで深く入社動機を語るかを事前に準備しておき、それぞれ**ショートバージョン（３分）、ミドルバージョン（10分）、ロングバー**

ジョン（30分）の3パターンを考えておくのをおすすめします。

筆者らも先ほど述べた面接官トレーニングのワークとして、この3パターンをスクリプトに落としてもらうようにしています。

オンラインでは信頼関係を構築しにくい

最後に、オンライン面接での信頼関係構築においても触れておきます。

コロナ禍を経て、採用活動も一気にオンライン化が進みました。オンラインは通信環境など制約条件があるものの、やはりその利便性は企業と候補者双方にとって高いため、現在でも1次面接などの選考フェーズ初盤〜中盤くらいまではオンラインで実施されることも多いようです。

しかし、こと「口説く」フェーズにおいては、オンラインは相性がよくないことが研究などでもわかっています。つまり、オンラインでは志望度をはかりにくいし、上げにくいのです。

オンライン上のコミュニケーションは、情報は正確に伝わるものの、感情や熱意は伝わりにくいとされています。

その理由は、私たち人間の感情を伝え合うとき、実は言葉よりもノンバーバルな部分（アイコンタクトや身振り手振り、表情、姿勢など）に頼っているからです。オンライン上だと画面越しのため、こうしたノンバーバルな情報が制限されてしまいます。

結果的に、候補者の志望度が予想しにくく、また面接官側が熱心に口説いているつもりでも、その熱意がうまく伝わっていないことがよくあるのです。

では、そのようなオンライン上で気をつけるべきことは何でしょうか。

それは端的にいえば、画面上に映る形で以下のようにノンバーバルな情報量を増やすことです。

●あいづちなどのリアクションは強めにする
●こちらが話す時は画面上に映りこむよう身振り手振りを大げさにする
●目以外での表情がわかるよう、マスクを外す加えて、**言語的なフィードバックを増やすという手も効果的です。**

候補者の話を聞きながら、「良いと思ったことはきちんと良いと伝える」ということです。特に私たち日本人は、〝あ・うんの呼吸〟と呼ばれるように、言葉で表現することを得意としていません。

だからこそ、注意深く「感情を言葉できちんと返す」ことが相手に刺さるのです。

もし感動したなら、

採用担当者「あなたの話をうかがって、なんてすごい経験をされたのだと感動しました」

もし悲しい気持ちになったのであれば、

採用担当者「過去のあなたの置かれた境遇を想像してしまって、自分も少し悲しい気持ちになってしまいました。大変だったのですね」

と伝えましょう。日常的には日本人はあまりこのようなことは言う機会はありませんが、オンラインでは、言葉にしなければ伝わらないことが多いのです。

第7章

ほしい人材を「口説く」ためのステップ②

候補者の本心を徹底的に調べる

追えば逃げる人の心理

候補者が少しずつ深い話をしてくれるようになり、信頼関係が構築できたと感じてきたら、次は情報収集です。候補者がようやく胸襟を開いてくれたのですから、その本心を徹底的にヒアリングするステップです。

しかし、この段階でありがちなミスとして、相手が打ち解けてくれたのが嬉しくなり、ここぞとばかりに口説き始めてしまう場面がみられます。

口説きの最終ゴールは、相手が重視する情報を提供しながら、意思決定（内定承諾）を促すことです。この段階ではまだ相手の情報を知り尽くしているとは言い難いです。

「もう内定を出して、あなたに入社してほしい」

この言葉を言いたい気持ちをぐっとこらえて、相手の本音を徹底的に調べ尽くすのに集中しましょう。

採用担当者や面接官との信頼関係は築けていても、自社を一番志望しているとは限りません。

ガツガツ候補者を口説こうと前のめりな姿勢を前面に出してしまうと、交渉の主導権が完全に相手側に渡ってしまいます。

そうなるとどうなるか。

結果的に逃げられてしまうのです。

これは、恋愛のシーンでも取り上げられる「追えば逃げる、逃げれば追われる」の心理で、「最小関心の原理」と呼ばれます。

「最小関心の原理」とは、相手に関心をもっていない方が交渉を有利に展開できる法則です。つまり、恋愛というのは惚れた弱みができてしまうと、相手の好きなようにできるため、「好きになった方が負け」なのです。

重要なのは、まだ少しばかりの信頼を得たくらいの現段階では、まだまだフラットなスタンスで接することです。

具体的には、「うちにぜひ来てほしい！」という気持ちを押し殺し、

「最終的には候補者に合う会社に行くのがいいと思うし、それが自社でなくても構わないよ」

という姿勢で接することです。また時には、

「あなたの企業選びの軸では、うちではなく他社の方が合っているかもね」

とあえて、相手が本当にどこの企業に行くべきかを真剣に一緒に考えていると思ってもらえるようにしてもいいでしょう。

いわば、第三者がまるでキャリアカウンセリングをしているかのようにコミュニケーションを進めていくのです。

もちろん、最終的に本気で「ぜひうちに入社してほしい」と候補者を説得するためには、本心では「この候補者には自社が一番合っているのだ」と思っていなければならないのですが、あえてその本心を前面に出さず、冷静を装(よそお)うようにしましょう。

このようなフラットなスタンスで候補者と会話をしていると、

「この人は、自分の会社をゴリ押しするのではなく、あくまで私のキャリアについて本気で考えてくれている人なんだ」と感じてもらえるでしょうし、そうなれば、自社に対する悩みや就活に対する不安なども、より積極的に打ち明けてくれるようになるわけです。

もちろん、その背後には、採用担当者が本心においても、その候補者のことをしっかりと支援したい気持ちを持たなければなりません。

全力で相手の視点に立つ

ほしい人材を「見抜く」ことにおいては何より「事実」が重要だと述べましたが、「口説く」場面においては、何より「本人の気持ち」が重要です。

面接では、候補者がこれまで行ってきたこと(客観的事実)で評価をすべきで、思っていること（主観的意見）で評価をしてはいけない、というのがジャッジの原則でした。

しかし、フォローではこれが逆転します。
人は意思決定をするとき、最後は感情で決める生き物です。本人がどう思ってい
るか、どう感じているかが重要で、その認識が事実として正しいか間違っているは、
もはや問題ではありません。
自社へのネック（不安要素）として、
「御社は激務で退職者が多いと聞いている。その分職場の雰囲気も荒れているので
はないか」という懸念を示したとします。
これに対して、事実と異なる場合でも、すぐに否定してはいけません。
「誰がそんなこと言ってたの？　それは違うよ！」
とツッコんだり、議論して打ち負かしたりするのは絶対にNGです。
優れたビジネスパーソンほど、「事実を元に判断せよ」と意識しているでしょう。
もし候補者が事実誤認をしていれば、即座に訂正を挟みたくなってしまいがちです。
しかし、候補者はあくまで自社へのネック（不安要素）を話しているだけで、「ま
ずは、私の話を聞いて、不安な気持ちを理解してほしい」と考えています。しかも
まだ社外の人なわけですから、もともとそんなに確信をもって不安点を主張してい

るわけでもありません。

にもかかわらず、間髪入れずに否定したり、上の立場から論理的に説明したりしても相手がすぐに納得できるわけではありません。

よく「議論に勝っても相手は変わらない」や「ぐうの音も出ない反論と納得感のある意見は違う」とも言われますが、本来、「納得感」というのは本人の中から湧き出るもので、他人が植え付けるものではありません。

候補者の話すことが事実と異なる状況であったり、思い込みや偏見であっても、事実はどうであれ、本人がそう捉えていることは疑いのない「心理的現実」です。

まずは聞き手に徹することが大事だということを押さえてください。

「事実」よりも「気持ち」を聞き出す

では何を聞くのかというと、**相手の「主観・妄想・誤解・思い込み・先入観・偏見」をすべて聞ききるのです。**

特に口説くフェーズでは、自社へのネックやネガティブ要素を話してもらうことがとても重要です。

候補者はフック（自社に関心をもつに至った要素のこと）でその会社に応募するかを決めて、ネックでその会社に入社するかを決めます。自社への不安が消えない限り、入社を決めてくれることはありません。

とにかく、本人がどう思っているか、感じているかという「心理的現実」にのみ注目して、そのために全力で相手の精神世界に入り込んでいきましょう。

熱心に頷（うなず）いたり、傾聴することで、相手の情報を「聞き切る」ことに集中してください。

候補者がどんなに偏見に満ちたおかしなことを言っていたとしても、まずはすべてを吐き出してもらうまでは聞くようにします。そして、相手が言いたいことを言った後に「先ほどおっしゃっていたあの件ですが、それは実は事実ではなくて……」と説明し始めるようにしましょう。

モチベーションリソースやキャリア観、志望動機（フック）は簡単に聞ける

では、具体的に候補者からどんな情報を収集すべきかについて紹介します。

採用面接では、聞きやすい（あるいは普段から自然に聞いている）情報と、聞きにくい（あるいは聞き忘れることの多い）情報の２つに分かれます。

聞きやすい情報とは、

「何にやる気を感じるか（モチベーションリソース）」
「将来どうなりたいか（キャリア観）」
「なぜうちを受けたか（志望動機）」

が挙げられます。

これらはストレートに候補者に質問して聞けます。必ず収集してください。

それでは、一つひとつ詳しく紹介しましょう。

▼何にやる気を感じるか（モチベーションリソース）

まず「何にやる気を感じるか（モチベーションリソース）」についてです。

日々の仕事において、やる気につながるエネルギー源は人によって異なります。

このモチベーションリソースは大きく分けて４つあります。

この段階で、候補者が日々の仕事を乗り越えていくためのモチベーションリソースが何かを把握しておくことは、その後の情報提供において、本人に刺さる情報提供につながるわけです。

例えば、組織型のモチベーションリソースの人に対しては、自社の社会的認知を示すようなパブリシティ（新聞や、雑誌、Ｗｅｂ上の記事や書籍等）や、表彰（ランキング等）を示したりすると良いでしょう。

４つのモチベーションリソース

組織型	所属する組織の社会的地位や知名度、組織内での自分の地位、組織の成長などからやる気が起きるタイプ。就職活動や転職活動の会社選びにおいては「どこでやるか」が重要な人です。
仕事型	日々行う仕事の面白さや、自分がその仕事で能力を発揮できそうかによって、やる気が左右されるタイプ。会社選びにおいては「何をやるか」が重要な人です。
職場型	職場の雰囲気や仲間の相性によって、やる気が高まるタイプ。会社選びにおいては「誰とやるか」が重要な人です。
生活型	自分の生活がどのように良くなっていくかで、やる気が左右されるタイプ。会社選びにおいては「自分によって働きやすい環境か」が重要な人です。

▼将来どうなりたいか（キャリア観）

続いて、「将来どうなりたいか（キャリア観）」についてです。モチベーションリソースが短期的なエネルギー源となりやすいのと対照的に、キャリア観は中長期的なエネルギー源となりやすいものです。

心理学者エドガー・シャインの「キャリア・アンカー理論」によれば、キャリア観は以下8つに分類できます。

つまり、社会人としての人生で何を重視するか、といった志向性を指します。本人のキャリア観と会社が求めるキャリアパスがフィットしなければ、入社後の長期定着にも悪影響が出ます。

ただ、基本的にどのキャリア観をもっていても、一つの会社の中でそれを満たす環境はどこかにあるはずです。だから、すべてを採用基準にするというよりも「うちの会社であればここの点において、あなたが望むキャリアを叶えられそう」という口説きのために聞き出すべき情報でしょう。

キャリア・アンカー　（エドガー・シャイン）

①専門能力志向	自分の専門性や技術が高まること
②経営管理志向	組織の中で責任ある役割を担うこと
③自律（自立）志向	自分で独立すること
④安定志向	安定的に１つの組織に属すること
⑤起業家志向	クリエイティブに新しいことを生み出すこと
⑥社会貢献志向	社会を良くしたり他人に奉仕したりすること
⑦チャレンジ志向	解決困難な問題に挑戦すること
⑧調和志向	個人的欲求と家族・仕事のバランスを調整すること

▼なぜうちを受けたか（志望動機）

最後、「なぜうちを受けたか（志望動機）」ですが、これはいわば、候補者が自社に抱くフックです。

このタイミングで、なぜ志望理由を聞くのでしょうか。

それは、「候補者が自社の魅力を誤解していないか」を確認するためです。

もし、自社が本当に持っていないものに魅力を感じているならば、事実が判明した途端に辞退、入社後であれば離職につながってしまいます。

事前に誤解を解いておくことで早期離職を予防できますし、親身にキャリアを考えてくれている姿勢も伝わるでしょう。もちろんその場合は、違うフックで自社の魅力づけを行うことで、自社への志望度を下げないように心がけましょう。

さらに候補者の口から志望動機を語ってもらうことは、別の観点から入社意欲を高めるうえで大切です。

人は自分が発した言葉は守ろうとします（一貫性の法則）。つまり、自社の魅力を候補者自身に語ってもらうことで、他人ではなく自分の意志で決めた、という強い覚悟に結び付くことになります。これが入社意欲の醸成（じょうせい）につながるわけです。それだけではなく、入社後壁にぶつかった際にも強い支えにもなるでしょう。

また、**志望動機と併せて、「どんな軸で会社を選んでいるか」という選社基準は言うまでもなく押さえておきましょう。**

その際、ただ選社基準だけを聞くだけにとどまらず、「なぜそのような基準で選ぶようになったのか」というきっかけや理由まで押さえることがポイントです。モチベーションリソースやキャリア観の裏づけが取れたり、また別の志向性が見えたりすることもあるからです。

ただ、志望動機や選社基準は、本心ではなく、社会的に望ましいとされる「それらしいこと」を言っているだけのこともあります。また、20代の若手であれば、そもそも自分のキャリアの志向や方向性が定まっていない場合もあります。

言葉をそのまま鵜呑みにするのではなく、その他の情報から多面的に類推することも重要です。

真に信頼されているかどうかは、「ネック（不安）を吐露してくれるかどうか」でわかる

次は、候補者に聞きにくかったり、聞き忘れてしまったりする情報についてです。まずはネック（不安要因）です。

先ほど述べた候補者が自社に感じているフック（志望動機）だけでなく、自社に対するネックも押さえておくことが何より重要になってきます。

では、よくあるネックをいくつか紹介しましょう。

- ●長時間労働で激務ではないのか
- ●退職者が多く、職場の空気が悪いのではないか
- ●経営者がワンマンで、意見が言えないのではないか
- ●ガツガツした人が多くて、足の引っ張り合いがあるのではないか
- ●若くてもできる＝簡単な仕事で成長ができないのではないか

そもそも、**本音ベースで候補者のネックが聞けたら、半分口説きは終わったようなものです。**

ネックを的確に潰すことができれば、候補者は入社を決意してくれるからです。

こういったネックを把握するためには、面接最後の質疑応答の時間や、面談の中で次のように質問してみてください。

採用担当者「そういえば、うちに対して現時点で何か不安に思っていることはありませんか？もちろん、それによって合否に関わることはないし、フラットに私自身が一社員として、一採用に関わる者として自社の課題がなにかを把握するためにも率直な気持ちを聞いておきたいのですが、どうですか？」

深い信頼関係が築かれていないと本音のネックは聞けません。信頼関係がきちんと築けているかの指標として、こういった質問をしても良いでしょう。

この質問で、まだ本音で語られていないないなと感じたり、煙（けむ）に巻くような言い方で濁された場合は、まだ深い信頼関係が築けていないと判断して、もう一度信頼関係構築からやり直す必要があります。

本人に大きな影響を与えている人物を探れ

続いて、候補者の意思決定に強い影響を与えている人を探ります。

実はこれは、よく採用担当者が見逃しがちな情報です。

入社の意思決定は多くの場合、本人だけの問題ではありません。候補者と深い関係性にある人も大きな関心を持ちます。

だから、**候補者だけでなく、その背後の「大事な人」も口説く必要があります。**

つまり、本人だけでなく、「本人にとって大事な人が気にしているネック」に対しても、カウンターとなるトークを用意しておかなければならないということです。

新卒採用の場合、その多くはご両親が考えられます。候補者本人が「誰と働くかが大事」という職場型のモチベーションリソースであっても、一緒に住んでいる両親が「休みがきちんととれるのかが大事」という生活型のモチベーションリソースだった場合、反対される恐れがあります。

多くの場合、親は子に対して保守的です。こういった場合は、職場型に加えて、生活型に有効な情報提供をするなどして、候補者から間接的に両親をフォローしてもらう必要があります。

中途採用の場合は、候補者から「いろいろ考えたんですけど、妻がダメだって言ってて……。すごく残念ですが辞退させてください」というケースもよくあります。

このように配偶者、恋人、研究室の教授、友人、親など、本人に一番誰が影響を与えているかを探ってください。新卒であれば「親を制する者は子を制する」、中途であれば「妻・夫を制するものはその配偶者を制する」ともいわれるほどです。

ちなみに、「○○（本人に大きな影響を与えている人物）が反対していて……」、これを言われた時点ではどんな返しをしても、もう遅いです。あきらめて引き下がりましょう。

タイミングとしては、候補者と信頼関係が築けた段階で、

「今回の就職（転職）について相談している人はいますか？」

「意思決定において大事な人は誰？」

「その人にはうちのこと話しましたか？」

「その人はうちのことをなんて思っている？」

と聞いておきましょう。

もし、「御社のことは何も話していないです」と言われたら、それは候補者の志望度がまだ低い状態といえます。その場合でも、「では、一度お話しされてみてください」とお願いしてみましょう。

4つの意思決定スタイル——「押すべき」か「引くべき」か

最後は、意思決定スタイルについてです。

人は重要な意思決定をするときに、決め方のスタイルがあります。
●決めるときに情報をどれだけ集めたいか（多い／少ない）
●即断即決するタイプか、選択肢を並べて長考するタイプか
このような2軸4象限で、意思決定の仕方は人によって異なります。

就職に限らず、ふだんの夕食を買う買い物から、家や車の購入など大きな買い物まで、大きく影響しています。

4象限はそれぞれ、**「決断型」「論理型」「柔軟型」「統合型」**と呼ばれています。詳しくは次章で述べますが、それぞれのスタイルによって「押すべきか」あるいは「引くべきか」といった説得勧誘する仕方やタイミングが変わってきます。

こういった意思決定スタイルを判別するための、トークスクリプトを用意しました（225ページ）。ぜひこれを面談時などに活かして、候補者の意思決定スタイルを聞き出してください。

このトークスクリプトにも書かれていますが、現実にはすべての人間をはっきりと4タイプに分類することはできません。

中にはタイプ間の境界線上にいる人や、別のタイプを併せ持つ人などもいるでしょう。

ただ少なくとも「個々人の意思決定スタイルは異なり、スタイルに応じてアプローチを変える必要がある。だから情報収集の段階で、候補者がどのように意思決定するかは聞いておくことが大切なのだ」と理解しておきましょう。

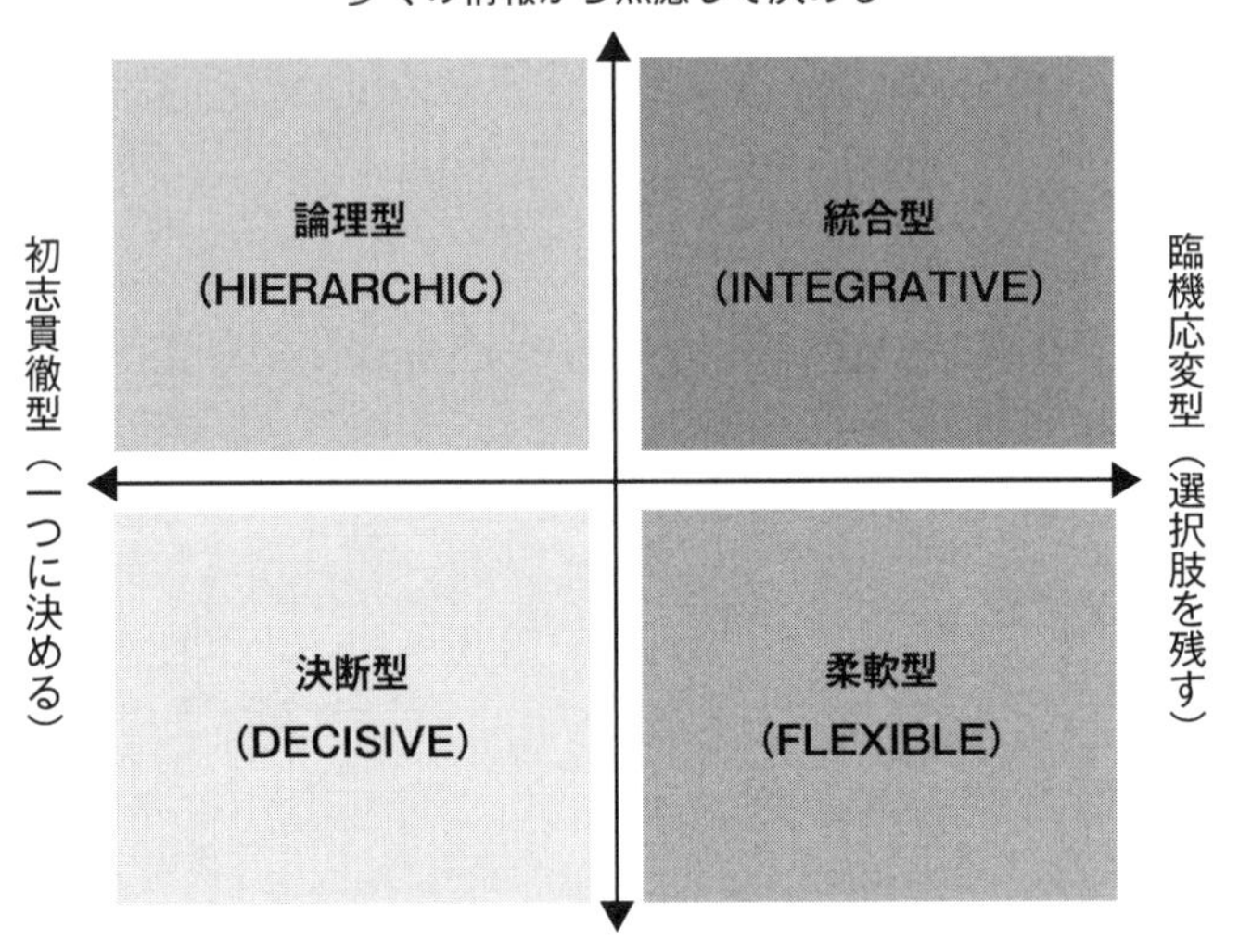
意思決定スタイルの４象限
多くの情報から熟慮して決める
論理型
(HIERARCHIC)
統合型
(INTEGRATIVE)
初志貫徹型（一つに決める）
臨機応変型（選択肢を残す）
決断型
(DECISIVE)
柔軟型
(FLEXIBLE)
少ない情報で仮説検証しながら決める

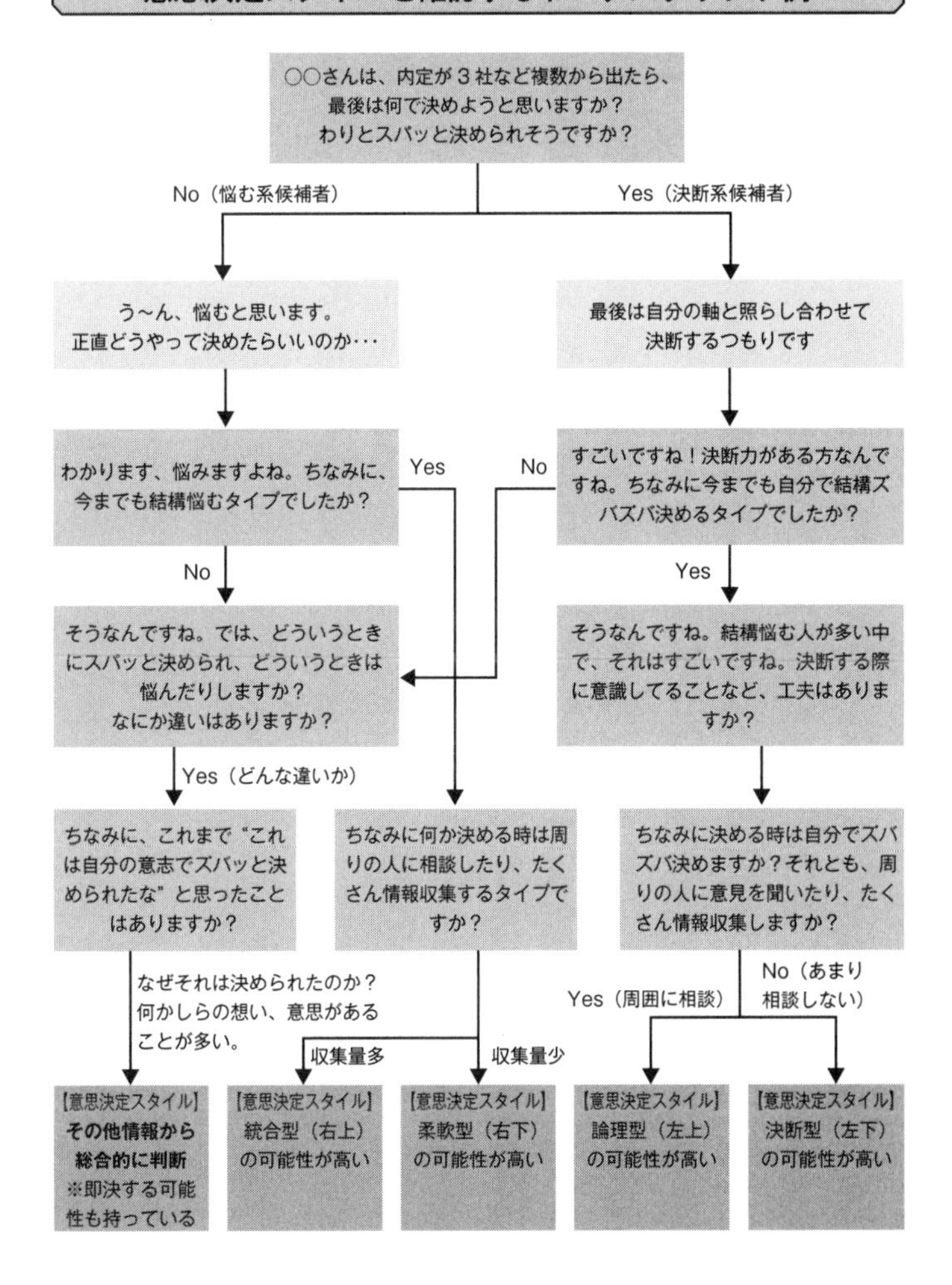
意思決定スタイルを確認するトークスクリプト例
○○さんは、内定が３社など複数から出たら、最後は何で決めようと思いますか？わりとスパッと決められそうですか？
No（悩む系候補者）
Yes（決断系候補者）
う～ん、悩むと思います。正直どうやって決めたらいいのか・・・
最後は自分の軸と照らし合わせて決断するつもりです
わかります、悩みますよね。ちなみに、今までも結構悩むタイプでしたか？
Yes
No
すごいですね！決断力がある方なんですね。ちなみに今までも自分で結構ズバズバ決めるタイプでしたか？
No
Yes
そうなんですね。では、どういうときにスパッと決められ、どういうときは悩んだりしますか？なにか違いはありますか？
そうなんですね。結構悩む人が多い中で、それはすごいですね。決断する際に意識してることなど、工夫はありますか？
Yes（どんな違いか）
ちなみに、これまで“これは自分の意志でズバッと決められたな”と思ったことはありますか？
ちなみに何か決める時は周りの人に相談したり、たくさん情報収集するタイプですか？
ちなみに決める時は自分でズバズバ決めますか？それとも、周りの人に意見を聞いたり、たくさん情報収集しますか？
なぜそれは決められたのか？何かしらの想い、意思があることが多い。
収集量多
収集量少
Yes（周囲に相談）
No（あまり相談しない）
【意思決定スタイル】その他情報から総合的に判断 ※即決する可能性も持っている
【意思決定スタイル】統合型（右上）の可能性が高い
【意思決定スタイル】柔軟型（右下）の可能性が高い
【意思決定スタイル】論理型（左上）の可能性が高い
【意思決定スタイル】決断型（左下）の可能性が高い

第8章

ほしい人材を「口説く」ためのステップ③

自分だけのキラートークを考える

フォロートークは原則アドリブ禁止——すべて事前に準備する

面接や面談、また時に電話でのコミュニケーションなども通じて徐々に深い信頼関係が構築され、口説きに必要十分な情報を集めることができたら、いよいよ最終ステップ「説得勧誘」に入ります。

一番のポイントは、これまでに集めた情報「モチベーションリソース」「キャリア観」「自社に対するフックとネック」、そして「意思決定スタイル」に合わせて、自社の魅力を自然にインプットしていくことです。

そのうえで、実際のトークとして採用担当者が語る内容は、以下の4つに分かれます。

「入社動機」
「事業や仕事の魅力」

「組織文化の魅力」
「ネックに対するカウンタートーク」

これら4つを、一人ひとりに刺さる内容にカスタマイズして訴求していくのです。入社動機を語るときのポイントは、すでに第6章で述べた通りです。

この章では、「事業や仕事の魅力」「組織文化の魅力」「ネックに対するカウンタートーク」の3点について詳しく紹介していきます。

これらを伝える際に共通する注意点としては、できるだけ「ファクトと数字」を用意し、事前に伝える内容を整理しておくことです。

「どうにかなるだろう」と高を括ってアドリブで話すのは絶対にNGです。本気で候補者を口説きたければ、どんなに短い時間であっても、何かしらのスクリプトは手元に用意してください。

1回1回のコミュニケーションは短いからこそ、真剣勝負です。

人の心はそれほど移ろいやすく、相手の気持ち・主観にアプローチをかけるのは難しいことなのです。

伝える内容を事前に整理できたら、採用に関わるもの全員で共有します。そうすると、「候補者が気になっているが自分の経験では語れないこと」にも効果的に対応できます。

具体的には、「役者になるか自社にするかで最後迷っている」と語る候補者がいたとします。しかし、自分の会社で「役者になりたい」と思ったことがある人は少ないでしょう。

自分の経験からカウンタートークを語ることができない場合、事前に他の担当者の志望動機や過去のキャリアを把握していれば、

「うちの社員でも昔、就活の時に役者かうちかで迷った人がいるよ。その人がなぜ、最終的にうちに入ったかというと……」

と語ることができるわけです。

仕事の魅力は「社会的意義」「知的好奇心」「どう成長できるのか」で語れ

事業や自社の仕事の魅力を伝える際、大前提ですが、「魅力を伝えること＝一日の仕事の流れやビジネスモデルを説明する」だけで終わってはいけません。

一日の仕事の流れやビジネスモデルは、採用ホームページなどにも書かれているでしょうし、採用終盤の段階では、候補者もある程度は把握しているはずです。

ここで話すべきは、そんな話ではありません。

何を話すかというと、**社会的意義の高さや知的好奇心をくすぐるような面白さ、そしてどう成長できるのかについて説明するのです。**

社会的意義とは、自社の事業や仕事が社会に提供している価値のことです。

特に、キャリア観として「社会貢献志向」をもっていたり、モチベーションリソースが「組織型」であったりする候補者にはこの観点は刺さる内容でしょう。

例えば、「我々がこんな事業が行っているからこそ、それに救われたり幸せを感じられる人がいる」など、特定の社会層に対する貢献度を示したり、「実はインフラ的存在として日本の社会を支えている」といった社会全体に対する貢献度、また昨今ではSDGsなどの環境や持続的な社会発展に対する貢献度を訴求しても良いでしょう。

モチベーションリソースが「仕事型」であったり、キャリア観が「起業家志向」「チャレンジ志向」な候補者に対しては、こうした知的好奇心をくすぐる内容がベストでしょう。

「この仕事は普段、こういったクライアントに対して、こんなサービスを提供している。こんなに面白い仕事は他にないと思う」と、実際にその仕事に就いている社員のやりがいの声などを交えて伝えるとなお良いでしょう。

「内発的動機づけ」という言葉があります。これは、お金や賞賛などの外的報酬ではなく、それ自体が楽しいからやっているモチベーションのことです。このようなモチベーションのある候補者には、こうした「ワクワク感」で訴求するのが効果的です。

どう成長できるのか、についてですが、特にZ世代と呼ばれる若手層に対しては共通して訴求すべきです。

というのも、若手世代では、傾向として、「自分のキャリアは会社に預けきらず、自分で責任を持って築いていきたい」という自立心が高く、成長意欲が旺盛な方が多くいます。

実際に新卒の就職先を選ぶ際、「自らの成長が期待できるかどうか」を決め手にしています。

だからこそ、自社に入ったら、どれだけ・どんなふうに成長できるのかを具体的に示す必要があります。

社内の具体的なキャリア事例を出して、

「30歳の彼は今こんな役職で、大規模案件を任されている」

「35歳の彼女は産休育休を間に挟みながらも継続して仕事でスキルアップしていき、今ではこんな大人数のチームをまとめている」

など、年齢とセットで、仕事内容と裁量を伝えられると良いでしょう。

会社の魅力は「象徴的な事例」と「ジャーゴン」で語れ

面接の質疑応答の時間などで、「御社はどういった雰囲気の会社だと思いますか？」と質問されることがあるでしょう。

こういった組織の雰囲気や文化は、多くの候補者が気にする内容です。「カルチャーフィット」という言葉がある通り、たとえ仕事内容がマッチしていても、一緒に働く人たちの仕事の進め方やコミュニケーションの取り方がマッチしていなければ長く勤められません。中途採用では、候補者側もこのことをよくわかっています。

これを語るときに、「風通しが良い社風」「新しいことに挑戦させてもらえる文化」「フラットにコミュニケーションができる職場」といった、よくある、曖昧としかいえない回答はもちろんNGです。これら抽象的な表現は、候補者は他の会社でも同じ言葉を散々聞かされています。

人は準備されていないことを聞かれると、抽象的表現になりがちです。

組織文化を語る際は、必ず、それを物語る象徴的な事例をセットに伝えないといけません。

「新しいことに挑戦させてもらえる文化」を伝えたいのであれば、

採用担当者「当社史上1位、2位を争うビッグプロジェクトがあったんだけど、実は新卒で入って今入社5年目の彼女がリーダーに名乗り出てくれたので、会社としてもすぐに任せてみようとなった」

と答えられます。

このように象徴的な事例を話すことで、社内の雰囲気の解像度が上がり、候補者はそこで働くイメージが湧きやすくなります。

候補者にとって働くイメージの湧く会社はより魅力的に映りますし、自社の仕事に対する自己効力感（自分にもできそうという感覚）を高める観点からも具体的なイメージを持つことができます。

もう一つ、コツとして、**社内でしか使われていない言葉を用いるのも効果的です。**その組織の中でだけ使われれば使われているほど良いでしょう。

こうした特殊用語を、文化人類学の用語を借りて「ジャーゴン」といいます。

例えば、「フラットにコミュニケーションができる職場」であることを伝えたければ、「うちは上司との打ち合わせをすべて〝よもやま会〟と呼ぶんだ。〝よもやま〟というのは〝とりとめのない話〟という意味なんだけど……」といったように、「よもやま会」というジャーゴンを出すことで、候補者に強い印象を残すことができるでしょう。

「ジャーゴン」はその会社の中にいると、当たり前の言葉になってしまうので、それが特殊だと中々気づきにくいものでもあります。直近に入社した中途採用者などにヒアリングすれば、案外指摘してもらえるかもしれません。

ネックを表明する候補者に対する3つのカウンタートーク――「認識×対策」「トレードオフ」「事実で否定」

すでに述べた通り、ネックの解消なくして入社の決断はありません。

ネックに対するカウンタートークは、他のすべてのフォロートークを差し置いてでも一番力を入れるべきところです。

そもそも、候補者が気にする自社へのネックというのは、会社側でもある程度想定することができるでしょう。

社員の何名かにインタビューして、入社する前に抱いていた不安なところを聞き集めたり、過去に辞退された候補者の辞退理由や早期離職してしまった社員の退職理由などを見返してみたりすることで、推測できます（会社としてネックになり得る例は218ページ参照）。

おのずと自社のネックが浮かび上がってきますので、リストアップし、対応するカウンタートークを準備しましょう。

さらにそのリストを採用担当者や面接官に配布しておくことで、カウンタートークの質はある程度均一化できるでしょう。

咄嗟（とっさ）の質問に、アドリブで回答してしまうのは最悪です。

不安に対してスパッと言い切れなかったり、言葉を詰まらせたり、うまく切り返せない感情を怒りに変えて「誰から聞いた！」などと怒るのは論外です。こういった対応によって、候補者に内定を出しても結局辞退につながってしまいます。

またネックは、候補者の誤解である場合もあるでしょう。一番悲しいのは、誤解を解くことができないまま辞退されてしまうケースです。だから、はじめにどんな不安を抱えているか把握することが大切なのです。

もちろん「火のない所に煙は立たぬ」とも言われる通り、候補者の不安は事実として会社の抱える課題です。

その場合でも、「痛いところを突かれた」と怒ったり、不機嫌になったりするのは言語道断です。あくまで「冷静に、具体的に回答する」が基本です。もしその場で答えられないのであれば、「後で調べて回答しますね」などと宿題にしましょう。

では、実際にネックに対して、どのように対策するのか。そのネックが「Ｙｅｓ（事実である）」か「Ｎｏ（事実ではない）」である場合に分けて、その考え方を紹介しましょう。

▼ネックが「Ｙｅｓ（事実）」である場合

カウンタートーク①：認識×対策

◎ネックが事実であれば、「その事実を会社としてきちんと認識していること」と「対策を打って改善を試みている段階であること」を必ずセットで話しましょう。

◎候補者から「御社は他社と比べて残業時間が少し多い印象を受けるのですが……」と聞かれたら、事実であれば、「確かに一般より残業時間は長いかもしれない。でも会社もそれを認識していて、今このように採用数を増やしたり外部委託を増やしたりして残業時間の削減に取り組んでいます」と伝えましょう。

カウンタートーク②：トレードオフ

◎ネックが事実であれば、「トレードオフの関係を持ち出し」ましょう。トレードオフ（交互作用）とは、「出費はかさむがその分、質の高いものが手に入る」と物事の両面、メリット・デメリットの関係のことです。

◎候補者から「御社の給料水準って他社と比べると少し低いですよね？」と聞かれ

て「そうなんですよね……」や濁した答えはＮＧです。

◎報酬はお金だけではないと明確に伝えることが大切です。例として、「その分、何十万円もする研修が受けられる」「その分、最新鋭の機器が揃っている」「その分、頭数が多いので一人当たりの負荷を減らせる」などです。

◎モチベーションリソースやキャリア観によって、金銭的ではないけどメリットがあると説明できれば、場合によっては納得する人もいます。

◎このトレードオフは経営視点で自社の状況を俯瞰(ふかん)できないとうまく説明ができません。デメリットの裏にあるメリットがなにかを経営層や人事のトップに確認しておくのも良いでしょう。

▼ネックが「Ｎｏ（事実でない）」である場合

カウンタートーク③：具体的事実で否定

◎ネックが事実でなく、候補者の誤解である場合には、数字や具体的事実を使って否定します。

◎候補者から「この業界は不眠不休で働く人も多いし、御社もすごく忙しいんじゃゃないですか？」と聞かれ、「いや、昔は忙しかったけど最近はあまり忙しくないよ」などと答えるのはＮＧです。

◎「弊社では労働時間のマネジメントをとても厳しくやっているので、月に200時間を超える労働をしないように管理しています。20日の営業日数で割ると１日10時間なので、朝9時に来たとしたら遅くても7時か8時にはみんな帰っていますね」と、定量的な数字を元に具体的事実で説明しましょう。ちなみに、採用担当者は会社の色々なことについて「数字」で把握しておきます。「育休復帰率は98・5％」など小数点第一位まで言えるようにしておきましょう。

4つの意思決定スタイル——それぞれに対する口説き方

意思決定スタイルに合わせた口説きのポイントも紹介しましょう。

第7章ですでに述べた通り、意思決定スタイルは「決断型」「論理型」「柔軟型」「統合型」の４つに分かれます。

▼「決断型」には押しの一手で口説く

◎決断型は「パッと見てパッと決める」タイプです。

◎このタイプには、深い信頼関係が築けてさえいれば、あまり妙な駆け引きはせずに「押しの一手」が有効です。「一か月だけ待つから色々と考えた上で決めてください」と伝えると、「私の評価は低いんだ」と思われてしまいます。彼ら／彼女らは「やっぱり、自分を買ってくれる人のところに行きたいな」という思いが強いです。余計な時間を与えてしまうと、他の会社から声がかかって戻ってこなくなります。

◎「**NoReason作戦**」（172ページ）が最もうまくいくタイプです。

◎関係値が築けたところで押しの一手を繰り出します。いつ関係が築けたかを知るのは難しいですが、よくある見分けるポイントは「ネガティブな話をしてくれたかどうか」です。信頼がなければ不安などのネガティブなことはなかなか言いません。そのタイミングを見逃さないようにしてください。

▼「論理型」には矛盾のないストーリーで口説く

◎論理型は「多くの情報をもとに論理的に分析し1つの解を導く」タイプです。
◎このタイプは筋の通っていないことや矛盾を嫌います。そのため、「下手な鉄砲も数撃ちゃ当たる」式の情報提供はやってはいけません。
◎本来、会社というのは矛盾だらけなので、そのやり方だと色々なことを伝えるうちに、「前と言っていたことが違う」と思われてしまう時がきます。
◎しっかり情報を見せつつも矛盾がないよう話を進めて口説きましょう。

▼「柔軟型」には予防注射を打ちつつ口説く

◎柔軟型は別名「悶々型」。「情報を自ら集めないが、あれこれと悩む」タイプです。
◎転職などの「口コミサイト」などを頻繁に見て、噂やデマの情報を信じて恐れていたり、疑心暗鬼になっていたりします。
◎このタイプには自社のネックだと思われていることに、「弊社はこういうふうに思われているけど実際は違うよ」と先に伝えてあげることが重要です。

▼「統合型」には気長に待ちながら口説く

◎統合型は「集められるだけ情報を集め、さまざまな可能性を吟味(ぎんみ)する」タイプです。

◎意思決定を下さないタイプなので、決断型とは違い、ひたすら待つことが求められます。「オワハラ（就活終われハラスメント）」をすると即辞退につながります。

◎とはいえ、放置することは危険です。適宜、様子をうかがいながら情報提供し、関係性を保ちながら候補者の決断を待ちましょう。

多くの採用担当者は、口説き方や内定の出し方がワンパターンになっています。しかし、今まで述べてきたように、意思決定スタイルは人それぞれ異なります。本来は口説きの進め方、候補者との距離の取り方にはさまざまなパターンがあります。

ぜひこれらを基準にして活用してください。

伝えたいメッセージをそのまま言ってはいけない

最後に、口説きで情報提供をするとき、ぜひ意識しておいてもらいたいポイントを紹介します。

それは、「伝えたいメッセージは伝えてはいけない」ということです。

どういうことか。これはつまり、「間接的に情報を伝えることで、より興味関心をもってもらいやすくなるようにする」という技です。

一般的に、ビジネスの世界でプレゼンする際には、まずメッセージを伝え、それを支えるエビデンスの説明に移っていくべきだと言われます。

その一つに、ＰＲＥＰ法（結論→理由→具体例→結論の順に話す）などのフレームワークは有名でしょう。

しかし、口説くときには、伝えたい本質的なメッセージはあえて言わないほうが効果的です。相手が「そう感じ取れるようなエビデンスだけを伝える」。これがポイントです。

つまり、本人にメッセージを感じ取ってもらうよう計算し促すのが、口説きの極意といえるでしょう。

人は、同じ内容でも相手に言われるより、自分自身で考えたり、思ったほうが強く心に残ります。

恋愛のシーンでも「好きだ」とストレートに言わずに、さまざまな言動から「この人わたしのこと好きなのかも？」と思わせる（匂わせる）ようにしたほうが、相手に対する好意や関心が長く続くのと同じ原理です。

「うちの会社は若いうちから大きいプロジェクトを任せる会社だよ」

と直接メッセージを伝えるようでは、口説くことはできません。

同じことを伝えたいのであれば、

「あのビッグプロジェクトのＰＭを担当しているのは27歳なんだよね」

と伝えましょう。候補者は心の中で「27歳であの大型案件を主導しているということは、この会社は若いうちから任せてもらえるんだ」と勝手に捉えてくれます。

また、別の社員を紹介するときに、「あなたにこういう点でとても似ていて、こういう話をしてくれる人がいて、すごく話が合うと思うから会ってみない？」と言って会わせるのもあまり良くありません。

効果的な言葉は、**「面白いやついるんだけど会わない？」**とだけ伝えて実際に会わせることです。

紹介する側としては、話が合うとわかって紹介していますが、あえて伝えないことで、会話が弾めば、相手は「たまたま紹介してくれた人がすごく合っているな」と自発的に感じるわけです。

このように、伝え方を一工夫するだけで候補者の興味関心をより引き出せることができるのです。

第9章

ほしい人材を「口説く」ための さらなるテクニック

ほしい人材を口説くための3ステップについて、章を分けて詳しく解説してきました。

ここまで読んで、「こんなに一人の候補者を口説くことは大変なのか」と自信をなくされた方もいるかもしれません。

その通り、大変なのです。

でも、だからこそ本気でやりきれる会社がまだまだ少なく、きちんとやっている会社はライバルが相対的に優位に立てるのです。

これが、「見違えるほど採用できるようになる」カラクリです。

戦略における差別化とは、まさに他社がやっていないことをやることですから、口説き力を向上させることができれば優位に立つことができます。しかも、口説き力は、企業だけではなく、採用担当者が個々人の力で高めることができます。

だからこそ、**中小企業やベンチャー企業こそ力を入れるべきところなのです。**

この章では少しでも楽に、かつ効果的に口説けるようになるテクニックをいくつかご紹介しましょう。

相性の良いフォロー担当者を付ける

1つ目は、候補者に相性の良い「フォロー担当者を付ける」というものです。

採用活動のマンパワーに余裕のあるところだけがフォロー担当者を付けるというイメージもあるかもしれませんが、採用に成功している中小企業やベンチャー企業では必ずと言って良いほど、候補者個々人に1 to 1で対応する担当者を付けていきます。

特に意図せずランダムにフォロー担当者を割り当て、候補者との共通点がない状態では、打ち解けるにも通常以上に時間がかかってしまいます。

では、相性が良いかどうか見極めるには、どうすればいいのでしょうか。

その前に「相性が良い」とはどういうことなのか説明します。

そもそも「相性が良い」とは、属性的な相性と性格的な相性に分かれます。

「属性的な相性」というのは、同じ性別、同じ出身校、同じ出身学部、同じ系統のサークル、同じアルバイト経験などのことで、履歴書やエントリーシートなどから目に見えて判断できます。

一方で、「性格的な相性」については、どのように判断すれば良いでしょうか。性格的な相性にはさらに、3つのパターンに分かれます。

はじめに「似たもの同士」である「類似」。そして「似ていない」という「相違」。「相違」はさらに2つに分かれて「相違であるが相補関係にある」（以下、相補）と「相違であり相補関係にもない」（以下、無関係）です。

それぞれのパターンの特性について述べます。

最初は「無関係」です。単に相違であって何も相補するところがなければ、相性が悪いままです。

例えば、フォロー担当者が「何事も〝こうあるべき〟という理想を掲げ、脇目もふらずにそこへ向かおうという執念やこだわりの強い性格」だった場合に、候補者が「好奇心旺盛で、目先がどんどん変わっていくことを好む性格」であれば、これは「無関係」に近いです。

この場合、こだわりの強いフォロー担当者は好奇心の強い候補者のことを「物事に執着せず、あっさりしていて、やり切る力のない人」と思うかもしれません。候補者はフォロー担当者のことを「頭の固い、柔軟性のない、変化対応能力のない人だ」と思うかもしれません。

これは口説きの場面において、性格的な相性が最悪です。

次に、「相補」です。

この「相補」はよく「最強の人間関係、相性」といわれています。相違ではあるが、お互いに相補する関係にあれば、シナジー（相乗効果）が起こって、1＋1が3以上になることもあります。

例えば、先ほどのこだわりの強いフォロー担当者に対して、候補者が「受容的で、相手の意見に自分はそっと合わせたいと思う性格」だったとしましょう。

この場合、フォロー担当者が「私たちはこんなビジョンを描いている。その実現に君が必要なんだ！」と言えば、候補者は嬉々（きき）として「わかりました！」と受け入れてくれるかもしれません。この2人は全く異なる性格ですが、「相補関係」にあります。

しかし、口説きの場面においてこの相性関係がベストかというと、一概にそうとはいえません。

なぜなら、いくら「相補」であるとはいえ「相違」であることには変わりがなく、2人が相互に理解し合うまでには一定の時間がかかるからです。

ビジネス場面では相互理解に「おおよそ半年」は時間がかかるといわれています。採用は時間的制約のある短期決戦であるため、そこまで待つのは現実的ではないでしょう。

最後に「類似」です。これは概念としてはわかりやすいでしょう。単純に「性格上似ている」ということです。

「類似」な人同士は似ているだけあって、考え方や価値観などが近しく、ふつうに話しているだけでも「合っている」とお互いに感じます。

このように「類似」な人同士の人間関係のメリットは即効性です。それほど工夫することなく、似たもの同士であれば、すぐに仲良くなれます。ですから、**候補者と性格的にも「類似」のフォロー担当者を付ける**ようにするのが最も効果的です。

ちなみに性格的な相性を判断するにあたっては、「あの候補者と、うちの社員の○○さんは性格的に似てそうだな」と感覚的に行ってはいけません。

選考時のパーソナリティテスト（いわゆる性格適性検査）を既存社員にも受けてもらい、候補者とフォロー担当者のテスト結果を見比べながら、「類似」の組み合わせを探した方がより正確です。

採用は団体戦

口説きは必ずしも人事や採用担当者だけの仕事ではありません。知名度のない小さい会社では、**全社員を巻き込んだ団体戦で口説いていく必要があります。**

そのためには、メインのフォロー担当者を付けつつ、必要に応じて他の現場社員と話をする機会を作ることも重要です。

特にそれが必要なのは、候補者の就職志向に合わせて効果的なカウンタートークを打つタイミングです。

競合他社を批判してはいけない

就職志向というのは、どんな基準で会社選びをしているかというもので、自社以外に実際に受けている業界や併願先企業などからわかります。

カウンタートークといっても、採用の競合となる他社の批判は厳禁です。「あの会社は辞めたほうがいいよ。こんな悪いところがあるからね」などと悪口を言うのは、他社のランクを下げているようで、実は自社のランクを下げることにつながります。

内定辞退をした理由として、「他の会社のことを悪く言っていて、会社のモラルを疑った」というのは毎年聞かれます。

これも恋愛のシーンでたとえると、好きな人に振り向いてもらいたいがゆえに他の人の悪口を言っているのと一緒で、結果的に願いが成就(じょうじゅ)することはほぼありません。あくまで「フラットに」まるでキャリアカウンセリングをしているようなスタンスで話しましょう。

優秀な人材を獲得できる会社は、

「あなたが会社選びで大切にしているその点は、うちではなくA社の方が合っているかもね」

と、あえて「あなたにはA社のほうが合っているかも」と言うことで、目の前の候補者が本当にどこの企業に行くべきかを一緒に考えているという印象を与えています。

しかし、もちろんあくまで「印象を与えている」だけで、最終的には自社が一番合っていると感じられるように徐々に魅力を伝えていきます。

ただ、本当に自社よりも他社が合っていると感じられるのであれば、候補者に対してその会社をすすめるべきかもしれません。もちろん採用担当者はキャリアカウンセラーではなく、あくまでも採用の担当者ですから、「優秀な人は自社へ来てほしい」と考えるのは当然です。それでも社会全体のことを考えれば、そういう心持ちがあってもよいのではないかと個人的には思います。そして、その相手を思う心が、逆説的ですが、自社への入社意向を結果的には高めることもあるのです。

同じ道をたどってきた社員に実体験を語ってもらう

採用競合について語る際に、もし、候補者が受けている業界や会社に、過去実際に在籍していたことがある社員がいれば、その人が自分の経験を元に話すのが最も説得力が高いと思われます。

例えば、候補者が商社を併願していれば、現場社員の中で、過去に商社で働いた経験のある人に商社の実態をありのままに話してもらいます。

もし、候補者がコンサル業界も受けているのであれば、コンサルティング企業から転職してきた社員にコンサル業界の実態を話してもらう、といったイメージです。

まさに、それぞれの候補者へ「人を見て法を説く（152〜153ページ）」を実践することの一例です。

そして、人事・採用担当者側では「候補者がこんな就職志向でこんな他社を受けているのであれば、社員では誰に話してもらうのがベストか」をスムーズに決められるよう、社員の経歴についての人材データベースを構築しておきましょう。

近年では、多くの会社が**「タレントマネジメントシステム」**と呼ばれる、社員のあらゆるデータを格納・管理・分析できるようなシステムを導入しており、社員の前職データなども把握しています。

ここに、「○○さんはこの業界のことを知っているみたい」「○○さんの奥さんは○○の業界にいるらしい」といった情報も耳に入ってくるはずです。

これらを雑談として聞き流すのはあまりにもったいないです。データとして蓄積しておくことで、候補者を口説く際の有益な情報として活用しましょう。

ちなみに、社員本人が新卒の就活をしていた当時、その候補者と同じ業界や会社を受けていて、さらに内定までもらっていたら、「なぜ最終的に当社を選んだのか」を入社動機として語ることができます。これは強力なフォロートークです。

実際には、候補者と同一の会社を受けたことのある社員は限られるかもしれませんが、同じ業界を希望していることは結構多いと思います。

採用マーケットの変動度合いや自社の位置づけにもよりますが、競合となる業界やライバル企業はあまり変わりません。

「私も新卒で就活していたときは、あなたと同じように商社も併願していました。

でも最終的に今の会社の選んだのは……」と語ることができる社員を見つけましょう。

候補者の就職志向に合わせて最適な口説きができるために、ぜひ同じ志向で就活をしていた社員に語ってもらいましょう。

口説く場所や座る位置にまで気を配ろう

▼座る位置

口説く場所の設定や、座り方、雰囲気作りなども、大事な要素です。

例えば、ジャッジする面接の場で、候補者と向き合って真正面に座るのが一般的だと思いますが、この座り方では口説きを行う面談の場ではおすすめできません。真正面に座って相手と話すことは、場に緊張感や真剣さを与えます。上司が部下にネガティブなフィードバックをするときや、警察の取り調べ時などはあえて真正面に座るべきかもしれませんが、採用における口説きはそういう場面とは異なります。

口説きを行う面談では、候補者に本音を打ち明けてもらう雰囲気づくりが重要です。話す内容は真面目でも、場は十分にリラックスしたダイアログ（対話）ができる状態が理想です。

そのためには、一見、変わって見えるかもしれませんが、**真正面ではなく、斜め向かいに座るのをおすすめします。**実際、筆者（曽和）がリクルートで採用をしていた際には、基本的に対面で座ることはありませんでした。

そもそも、人には「パーソナルスペース」といって、対人関係で安心感を確保するために他者と一定の物理的距離を保とうとする「結界」のようなものがあります。あまり親しくない人にパーソナルスペースを侵されるとリラックスできず、緊張を感じやすくなります。

パーソナルスペースは特に真正面と真後ろに伸びていると言われていて、「ゴルゴ13」でも、一流の狙撃手である主人公のデューク・東郷（とうごう）は絶対に他人に背後を取らせません。

つまり、私たちは誰かに真正面に立たれたり、真後ろに立たれたりすると不快感を得やすいのです。また真正面では、目をそらす余地がなくなるため、逃げ場がないと感じるでしょう。

もちろん、あえて真正面に座ることで、相手にこれから話す内容の真剣度が伝わる効果もありますが、リラックスした状態で信頼関係を築きたい口説きの場面では、真正面に座るのは避けたほうが無難です。

斜め向かいに座ることで、自然な形で目をそらすこともでき、緊張を解くのに良いのです。

▼「どこで」口説くのか

また、場所に関して、口説きはそもそも「会議室だけで行われるべきか」という観点もあります。

特に、人は誰かと一緒に食事をしているときに気を許しやすく、その時間がお互いにとって楽しければ、さらに親近感がわくという心理があります。これは「アソシエーション理論」と呼ばれ、その場で経験した出来事に対する「楽しい」「嬉しい」という感情が、一緒にいた相手に対する感情に結び付けられる効果のことです。

美味しい食事や楽しい談笑など候補者にとって好意的な感情が、同席していた人に対する好意へ伝播（でんぱ）するわけです。

昔から王道ではありますが、交渉場面や口説くときは、**飲食をセットにする**のはやはり有効なのです。

ちなみに、お店で候補者を口説くときは、ボックス席よりもカウンター席に座る方が良いです。これもパーソナルスペースの問題ですが、真横は、相手が心理的に抵抗感を感じにくいかつ、物理的に最も近い位置だからです。

口説く内容に合わせて、雰囲気がふさわしい場所を選ぶのも一手です。

会社の社会的意義（どんな形で社会に価値を提供しているか、自社によって社会はどんな風に良くなっていくのかなど）を熱く語りたい場合は、高層階のレストランなどで語るのが良かったりします。

もはや演出の域ですが、本気で候補者を口説きたければ、雰囲気づくりは蔑（ないがし）ろにできません。口説ける採用担当者は、最適な舞台を用意することにも抜かりないのです。

最後に、こういった場の柔軟な使い分けができるよう、採用担当者はどの店のどの席が良いかなどを具体的に押さえておくと良いでしょう。

候補者にできるだけ移動の負担をかけないようにする意味でも、新卒であれば大学のそばにあるお店、中途採用であれば在籍している会社のそばにあるお店、自宅近くのお店などを把握しておいても良いかもしれません。

あるいは、学生に社会人の素晴らしさを感じてもらうために、逆に、大都会のど真ん中の大人っぽいお店を設定するべきかもしれません。

一見、このような「お店選びにこだわる」ことは、小手先の技術に思われるかもしれません。しかし、**口説きを本気で行うのであれば、細かい環境づくりも、最終的に採用成否に関わってくるということを理解してください。** リクルートでは、先輩から代々受け継がれた「採用フォローに使えるお店リスト」があったくらいです。

最終面接合格＝内定にしない

内定を出すベストタイミングについても触れておきましょう。

現在、多くの企業が、最終面接に合格したら自動的に内定（内々定）を出しています。

しかし人事・採用のプロである私たち筆者の考えでは、本来は、最終面接合格と内定出しの間に、もう1ステップをおいても良いと考えています。最終面接に合格したからといって、「即内定」としなくても良いのです。

その理由を、大学入試でたとえて説明してみます。

そもそも、大学入試では、入試に合格したとしても即入学確定とはなりません。合格通知の後、期限内に入学金を納めることで初めて入学資格を得られる、そういう流れになっているはずです。つまり、「あなたが入学基準に達していることはわかりました。ただ、限られた席数の中であなたの席を確保するためにはもう1ステップあるんです」というメッセージです。

採用の選考試験においても同じことがいえるのではないでしょうか。

内定というのは「始期付解約権留保付き労働契約」という労働契約の一種です。これは企業側が候補者の採用を確約するもので、一度出せばよほどのことがない限り、企業側から取り消すことはできない非常に重たい契約です。

その意味で、「内定を出すこと」は採用する側とされる側のパワーバランスが逆転する瞬間であり、企業を拘束し、候補者を自由にするものです。

それにもかかわらず、**「選考合格＝内定」と直接紐づけてしまうことは、ある意味、候補者への交渉力を自ら捨て去ってしまう、**ことでもあります。

先の大学入試の例と同じように、企業にも採用予定人数という限られた枠があります。

むしろコストである人件費に直結するため、本来は大学などよりもシビアに枠数を管理しなければなりません。

内定を一度出せば基本的に取り下げられませんし、候補者が内定を承諾したら、採用予定数の枠を1つ埋めることになります。しかし、もし内定承諾していたとしても、候補者側からはいつでも辞退ができてしまうのです。

仮に、新卒採用で辞退のタイミングが10月の内定式前後であった場合、もう一度枠を埋めるためにその時点で採用活動を再開しようとしても、ほとんどの学生の就活は終了しています。

内定とは本来、このようなリスクを孕(はら)んでいるわけです。

また、候補者側においては、内定が出た企業のことをよく「(選考が）終わった企業」という呼び方をします。

つまり、**「内定が出てしまえば、この企業にもう断られることはないから安心して他の企業も見てみよう」**という心理になるわけです。

このように、候補者の自社への意識をそらさないでおくためにも、最終面接合格＝内定にしない、最終面接合格と内定出しは区別した方が良いのです。

最終面接に合格した候補者に対しては、別途、面談という形で呼び、こう告げます。

採用担当者「これにて選考は終了し、無事合格です。あとはあなたの意思次第で内

定を出します。というのも、もし内定を出して承諾してくれたら、入社前提で社内の受け入れ準備も正式に始めていきます。裏を返すと、当社を志望してくれていて、今選考に進んでいる他の候補者がいても、すでに採用枠が埋まってしまったという理由でお断りしないといけないんです。それはある意味、当社で活躍できたかもしれない方の未来の可能性を1つつぶしてしまうことでもあります。だからこそ、曖昧な気持ちで内定承諾はしてほしくなくて、決意を固めるために私もできる限りのことをサポートするので、ぜひしっかりと考えてほしいです」

もちろん「オワハラ（就活終われハラスメント）」と捉えられないように注意しながら、相手の様子もうかがいつつ話しましょう。圧迫的に意思決定を迫るのはもちろんNGです。

自社の都合を前面に出したり、候補者の不利益を盾にして意思決定を迫ったりするのではなく、本人も含めて候補者側のことを第一に考えている、というスタンスでコミュニケーションすることが重要です。

ちなみに、まだ「御社に決めます」と決心が決まっていないうちに「就職活動（転職活動）を終わらせてください」というのは「オワハラ」になりますが、決心が決まっている状態で言質がとれれば、

「それは正式に今行っている就職活動（転職活動）を終わらせるということですよね？」

と返すのはごく自然なものですので、問題ありません。

個人的には、そもそも「最終面接」と呼ぶのさえやめた方が良いかもしれません。最終と呼ぶからには、そこに合格すればもう次の選考がないため、下手な安心感につながり、やはり自社への意識をそらしてしまう原因になります。「最終面接に来てください」ではなく、**「次の面接に来てください」**と言えば良いでしょう。

こうすれば、「まだ口説きが足らないな」と思われる候補者にも、自社への意識をそらすことなく、追加で面接（実際には中身はジャッジではなく、フォローなのですが）に呼び込むことができます。

もちろん、候補者にとっては、自分の意志が固まらなくても、相手企業が内定を

出してくれるに越したことはありません。候補者のことを最優先に考えるのであれば、そうすることも一つの選択ですし、社会的にはすぐに内定出しをしてあげた方がよいかもしれません。ここで述べたのは、あくまで「内定辞退に悩む」企業が、候補者が話を聞いてくれなくならないようにするための手法です。このあたりの考え方は各企業で十分に考えていただければと思います。

内定を軽く出す会社は軽く蹴られる

最後に、内定を出す際の「場づくり」についてです。

内定は、いわば企業から候補者へのプロポーズです。メールやチャットで軽く一言「結婚して」と伝えるのと、花束や指輪を用意し、「フラッシュモブ（サプライズイベントの一種）」なども周到に準備して、対面で相手の目をみながら「結婚してください」と伝えるのでは、受け手はどのように感じるでしょうか？

どちらの成功率が高いかは、恋愛では2人のそれまでの関係性や相手の価値観

（大仰（おおぎょう）なプロポーズをむしろ嫌がる人もいるでしょう）に大きく拠（よ）りますので、ここではあえて言及しませんが、少なくとも後者の方がずっと重要性を感じるはずです。

内定の出し方もこれと全く同じです。

メールやチャットで機械的に「あなたは内定しました」という定型文を送るのでは、候補者は、

「まあ、自分はこの会社にとって、one of themに過ぎないんだな」

「なら、別にそんな風にしか見てくれないところにコミットすることないや」

と感じてしまいます。

気軽に内定を出されれば、気軽にそれを断ってもかまわないだろう、と考えるのがふつうです。良かれ悪かれ「相手がしてくれたのと同じように自分もしよう」という返報性の原理が働くからです。

例えば、社内の表彰や送別会で相手に送る表彰状や色紙を、みんな一律同じコメントや方法で行わないのと同じように（そんなことをすれば重要感は下がってしまいます）、内定出しにおいても、個々人の志向などを踏まえて、彼／彼女が重要感

を感じるような内容や伝え方にするべきです。

これは、すでに前の章で述べた「意思決定スタイル」を加味した内定出しです。

また、**プロポーズ（内定）は必ず対面ですべきです。** 電話で「改めてもう一度面談の場を持ちたい」とだけ伝えて来社してもらいます。

そして、その場で現状の彼／彼女の就職活動状況や意思について確認したうえで、「私たちはこんな理由で（できるだけ詳しく）、あなたに内定を出したいと思います。入社してもらえますか？」

と話す方が内定を出すことの重要性を感じてもらえます。

その際、採用担当者がその内定を喜んであげたり、握手をしたり、社内のいろんな人を連れて来て祝福したり、などをしてもよいでしょう。

いずれにせよ、**個別のメッセージングと重要感をいかに演出するか**――これが断られない内定において重要なポイントになるのです。

第10章

内定辞退と早期退職を防ぐ準備のすべて

内定ブルーはなぜやってくる？

せっかく候補者が内定承諾をしてくれても、採用担当者は「あとは入社を待つのみ」と油断してはいけません。

就職活動を終えた学生からは、毎年こんな声を聞きます。

「ある会社に内定をもらい、納得して就職活動も終えました。特に他に動いているわけではありません。なのに、徐々に『この会社で決めてしまって、本当によかったのだろうか？』と不安な気持ちが芽生えてきました」

こういった不安は、人事の間では「マリッジブルー」（結婚する直前にうれしいはずなのに憂うつな気分になること）や「マタニティブルー」（妊娠して子どもができるとうれしいはずなのに憂うつな気分になること）になぞらえて「内定ブルー」などとも呼ばれます。つまり、本来喜ばしいことなのに憂うつになってしまう、という現象です。

なぜこのようなことが起こるのでしょうか。

内定を受諾して進路を一つの会社に決めることは、他のすべての選択肢を捨てる、とてもストレスフルな出来事です。

就職活動や転職活動をしていた段階では、「自分には無限の可能性がある」と思えていたことが、そうでなくなってしまいます。候補者にとっては、途端に不安に思えても仕方ありません。

そもそも、就職や転職は人生の大きな転機（キャリア・トランジション）です。「人生の何かが終わり、また別の何かが始まる」を経験するときには、こういった混乱・苦悩・不安という相応のストレスがかかる時期がやってくるのです。

そのストレスは前に進むためにはどうしようもないものです。しかし、**不安の原因が目の前にある「選んだ会社」ではないかと、ある意味誤って感じてしまう（原因の誤帰属）のが「内定ブルー」の正体です。**

確かに、何も悪いことをしているわけではないのに、なぜか会社のせいで不安に陥っていると内定者に思われてしまうのは、会社側からすれば「八つ当たり」「とばっちり」のようなものではあります。

しかし、内定者がこのような混乱を抱えていることを、採用担当者は理解していなければなりません。なぜなら、この心理状態を知らずに「おめでとう！」などと自分だけ浮かれた気持ちで接していたら、おそらく相手は「この人は自分の気持ちをわかってくれないんだ」と、距離を感じてしまうことでしょう。これまで積み上げた信頼感もぶち壊しです。

学生時代や前職との別れのタイミングで、今までの心地良く、慣れ親しんだ環境にきちんと別れを告げられるように、内定承諾後も継続的なフォローが必要です。具体的には、まず土台として、新しい会社の人事や採用担当者、既存社員と内定者との間に心理的な信頼関係ができていることです。

信頼関係が築けていれば、「不安な気持ちはあるけど、自分のことを深く理解してくれているあの人がいれば大丈夫だろう」と前を向いてくれます。

その後にすべきことは、その信頼関係を継続し、より強固なものとするために、採用担当者や社員と内定者とがコミュニケーションする機会を増やします。相互理解に努めたり、同じ境遇にある内定者同士をつないで情報共有をすることによって、お互いの悩みを解消し合ったりする場を、入社まで継続的に作り続けることが大事なのです。

「会える口実」を残しておく

そのためには、内定者と「会える口実」を残しておかなければなりません。入社までに、少なくとも月1回くらいの頻度で会うことが必要です。力を入れているところでは、2週間に1回というところもあります。

中途採用の場合、内定承諾から入社までの期間は平均1か月ほどで、比較的すぐに入社するため、この期間のフォローにはあまりパワーがかかりません。

一方、新卒採用は、仮に6月に内定承諾を得たとしたら、入社は翌年の4月です。9か月もの間、継続的なフォローをしていく必要があるのです。

よく新卒の採用担当者から、

「10月の内定式では、せっかく皆一堂に会したので、入社前の社内手続きについての案内、先輩社員を交えた懇親会（こんしんかい）、内定者同士のミニゲーム大会など、コンテンツ盛りだくさんで行ったのですが、その後はそんなに会える理由が残ってないです」という声が聞かれます。

しかし、このように一度のイベントで多くのコンテンツをやってしまうのはおすすめしません。

人には「単純接触効果」（ザイアンス効果）といって、接触回数が多いほど相手に親近感を抱き、その気持ちが継続しやすいという心理があります。

だからこそ、**コンテンツは小出しにしていくべきです。**

例えば、10月の内定式で一度会い、11月は配属面談のための情報提供イベント、12月は社内の忘年会への招待、1月は入社前の社内手続き案内、2月は入社前研修、などと、毎月何かしらの用事で会う口実が作れます。

恋愛シーンでも、好きな人とは動物園、おしゃれなレストラン、有名なカフェ、肩肘張らない居酒屋と、デートで会う口実を小出しにしていくものでしょう。

また、高頻度で会って顔を見て話すことで、内定者の状況をリアルタイムで把握しておくこともできます。もし、どこか浮かない顔をしている内定者がいれば、別日に個別フォローして早期に不安を払拭（ふっしょく）することもできます。

注意点として、中途採用の場合は内定者が現職中である場合もありますし、新卒採用の場合には学生が続けている課外活動もありますし、学業もあります。バランスは難しいのですが、学生に負荷を与えすぎないようにする観点も必要です。また、内定後辞退がそれほど問題ではないという会社であれば、このように小出しにしなくても構いません。

自社の内定者だからといって、毎回参加強制となるとハラスメントにあたる可能性もあり、それこそフォローとしてはマイナスなため、基本的には任意参加にしたほうが良いでしょう。もちろん内定式や手続き系などは必須としても構いません。

ちなみに、筆者（安藤）はとある保険会社の内定者向けに、月に1回、研修を実施しています。

時期は9月～3月までで「これからの時代のキャリア形成を学ぶ」「改めて自己分析をしてみよう」というキャリア系から、「オンラインコミュニケーションの注意点」「新人に求められる力」など、プレ新人研修系のコンテンツをいろいろ用意しています。

もちろん参加は任意としており、研修後はそのまま懇親会を実施する立て付けにしています。

食事やお酒付きの懇親会は、こういった研修系コンテンツとセットで行えるので、せっかく集まってもらった後は、懇親会を実施するのもおすすめします。

内定者イベントは自由席ではなく指定席に

ただし、懇親会も適当に行うのではなく、場の「構造化」が必要です。「構造化」とは、意図を持って、プログラムや場を作っていくということです。

例えば、**座ってもらう席やテーブルは自由席にしてはいけません。**これは偶発的な事故により内定辞退を防ぐためです。

内定承諾後の辞退者に対して辞退のきっかけを聞いてみると、「内定者懇親会で出会った同期内定者に違和感を持つような人がいて、『こんな人に内定を出した会社で働くのか……』と不安になったから」

という声がよく聞かれます。

彼らは、同期の内定者がどういった人物なのかまだよくわからず、人間関係ができていない状態です。

ただでさえ「内定ブルー」で不安を抱えているのに、複数いる内定者の中で、たまたま性格的に合わない人間同士が鉢合わせると、「こんな人がいる会社で一緒に働くのは嫌だな」と思われてしまう可能性があります。

はじめは、絶対相性の良い人同士を中心に会わせるのがポイントです。

人間関係における「安全地帯」を築かせて、そこから少しずつネットワークを広げていくようにしましょう。

慣れないパーティに参加したとき、みなさんは自分の知り合いから探すでしょう。関係が構築できた仲の良い同期が一人いるだけで、自分と異質な人材にも構えすぎず、よりフラットに接することができます。

だから、席次を単純に名前順で決めるなどもってのほかですし、フリースタイルの立食形式も避けるべきです。

では、「この人とこの人は相性が良さそうだ」という判断はどのようにするのでしょうか。

これは、選考時の適性検査を活用すると良いでしょう。適性検査のパーソナリティテストは、人の性格を定量化しており、どれくらい性格的に近いか（類似か）・遠いか（相違か）を見比べやすいです。

性格的な相性が良い場合、いわばお互いの考え方や価値観が似ているため、話も盛り上がりやすく、共通点も多いというメリットがあります。

また、能力的な類似性を考慮するのも一手です。

内定者のうち、外向的で場をまとめるのがうまいリーダータイプの人材は、よく各グループに分散して配置することが多いですが、実はリーダータイプはリーダータイプでまとめた方が良いのです。

これはフォロワータイプの人材と混ぜることで、リーダー人材の本人が、「自分以外あまり積極的に話してくれないな……」、俺はこんなやつらと一緒なのか」と勝手に落胆しないためです。

また反対に、そのグループ全員がリーダータイプだった場合には、他のメンバーを自分以上のレベルだと考え、モチベーションが高まりやすいからです。リーダータイプの人材は、往々にして自分よりレベルの高い（と感じる）人たちと働くことにモチベーションを感じやすいのです。

「入社動機」を語ってもらい、フックを増やす

懇親会の席次について慎重に検討したら、次はコンテンツです。

懇親会というと、飲食を交えてフリーに歓談するという会社も多いのですが、これもきちんとコンテンツを用意しておくことが大切です。

特に、内定者の関係性が築けていない初期の段階では、フリースタイルで盛り上がることはありません。まだお互いのことを全然知らない状態ですし、不安を感じながら様子をうかがっているからです。

懇親会でのおすすめのコンテンツは、**お互いの入社動機（なぜ自分がこの会社を選んだのか）を共有することです。**

「内定ブルー」で「自分は本当にこの会社で良かったのだろうか」と不安を抱えている内定者には、自分がいいなと思った入社動機の初心を思い出してもらうのが有効ですが、同時に他の人の入社動機もたくさん知ることで、「ああ、この人はこんな理由でこの会社を選んだんだ」と自然と会社に対するフック（魅力に感じる部分）の引き出しが増えていくのです。

もしかしたら自分とは全く異なる入社動機をもっている内定者もいるかもしれません。

気づかなかった会社の魅力を新たに知ることで、「内定ブルー」は徐々に薄まっていく。

これが入社動機を共有してもらう狙いです。

このようなコンテンツを重ねて、ようやく内定者同士の関係ができているなという段階であれば、ある程度自由な歓談形式でも盛り上がるでしょう。

「こんなはずじゃなかった」を防ぐ「RJP」

このような工夫を重ねて無事に入社まで至ったとしても、その後すぐに辞めてしまっては元も子もありません。

退職者に、「なぜあなたは会社を辞めたのですか？」というインタビューを行うと、それぞれが思い思いに自分の感情を吐露します。

退職を決意した具体的なシチュエーションは人によってバラバラですが、それらをまとめてみると、人が組織を離れる理由は大きく分けて3つあります。

①入社後のギャップ（リアリティショック）

「こんなはずじゃなかった」「入っていたら思っていたのと違った」という入社後のギャップによる離職。入社前の期待と入社後の現実にギャップを感じることを「リアリティショック」といいます。

②人間関係

「こんな人たちと一緒に働けない／働きたくない」という人間関係による離職

③ 仕事に対する不満や不安

「こんな仕事はやりたくない」という仕事に対する不満や不安からくる離職

このうち、①入社後のギャップに関しては、②や③と少し異なり、入社前の採用プロセス時点のコミュニケーションが解消の決め手となっていきます。

第5章でもお伝えしましたが、約8割もの新人が、入社前にイメージしていたものと入社後の実態に乖離があると感じています。この数字の大きさと、私たちがこれまで見てきた様々な企業の取り組み事例から考えると、そもそも「どれだけ企業側が頑張ってコミュニケーションを取っても、最後は入ってみないとわからないから、一定のリアリティショックは必ずあるものとして受け入れるしかない」というのもまた事実であると思います。

しかし、そのリアリティショックの程度をできるだけ下げる努力はすべきですし、それによって早期離職率を下げられることもまた事実です。

このリアリティショックをできるだけ防ぐために行うのが**「RJP」**です。RJ

Pとは、Realistic Job Previewの略で、現実的職務予告と訳されます。

　これは文字通り、会社の実態を無視して候補者にとって魅力的な情報ばかり伝えるのではなく、良いこと（フック）も悪いこと（ネック）も、より現実に即した情報を伝えることをいいます。ちなみに、「悪いこと」というのは、内定者や新人などに「入社に際して、不安に感じていたこと、ネガティブに感じていたことは何か」と聞いてまわったり、アンケートをとったりすることで収集します。あるいは、自分の入社時のことを思い出しても良いかもしれません。

　RJPは学術研究の世界でも、実際に入社後のリアリティショックを下げるといわれており、早期離職を防ぐ効果が期待できます。しかも、組織への愛着や一体感が増す効果もあるとされているのです。

　そもそもRJPをせずに、良い情報ばかりを伝えがちな企業には、「悪いこと（ネック）を伝えたら、候補者が感じる自社への魅力は下がってしまうのではないか」という心配があるかと思います。

　しかし実際には候補者にとって「ふつうは言いにくい自社の課題やネックまで伝えてくれた」ことが「誠実で良い会社だ」とつながるわけです。

RJPに期待できる効果

ワクチン効果	過剰な期待を緩和する
セルフスクリーニング効果	自己選択や自己決定を導く
コミットメント効果	組織への愛着や一体感
役割明確化効果	入社後の期待が明確化する

RJPには他にも効果があり、自分の選社軸とこの会社は合っているだろうか、というセルフスクリーニング効果や、入社後の期待が明確化する役割明確化効果（これもリアリティショックが下がることにつながります）なども期待できます。

ただし、実態をきちんと伝えるRJPにも使いどころがあります。

そもそも最初から厳しい現実を伝えていては本来、乗るはずの舟にも乗ってくれません。

RJPを行うタイミングはある程度入社意欲が高い段階（最終面接前など）や、人間関係がある程度出来上がっている段階（対社員や対同期と）です。

初めて会ったお見合いの席で「突然ですが、

私には借金が〇〇万円もあります。それでも好きになってくれますか？」と言われたら、「いや、やめときます」とふられてしまうのは当然でしょう。

しかし、何回かデートを重ね、相手の人柄も知って「なんとなくこの人いいな」と思っていたら「実は借金がたくさんあって……」と言われても、「この人がそうだなんて、何か避けられない不運にあったのかもしれない」と思うかもしれません。

関係性ができあがり、相手（会社）のことを深く理解したうえでネックを知れば「自分もそのネックを解決したい」と思うようになるかもしれません。厳しい現実を知っても、お互いの人となりを十分理解していれば「この人たちとならどうにか乗り越えよう」と思えるからです。

また、ネックを話す際は同じ事実でも、できるだけポジティブな表現を心がけたり、デメリットの裏にあるメリットなどもあればそのトレードオフの関係を話したりする工夫が必要です。

「うちは同業他社と比較して基本給はたしかに低いです。でも、その分の原資を社員の教育費に回しています。だから他社よりも教育制度が充実していて、海外への長期研修旅行などもあります」

「こんなはずじゃなかった」という入社後のギャップを解消するRJPですが、ただ良いことも悪いことも即座かつストレートに伝えるのではなく、このようにタイミングや伝え方を工夫するようにしましょう。

入社後は3か月間が勝負

人が新しい組織に入った後のモチベーションの変化は、「Jカーブ（169ページ参照）」を描くといわれており、新人は入社後3か月目あたりが特に要注意です。新卒でたとえると、4月に入社して、2〜3か月が経った5月、6月にあたります。

昔から「五月病」といわれますが、期待を胸に社会人になった直後は心身ともにアクセル全開で頑張れても、入社後初めての長期休みであるゴールデンウィークを期に、休みから戻ってこられない新人が一定数いるのもこれが背景にあります。

ある調査によると、社会人の退職理由の本音ランキング上位にあがるのは、「上司・

経営者の仕事の仕方が気に入らなかった」「同僚・先輩・後輩とうまくいかなかった」というものです。

ほかにも「社長がワンマンだった」「社風が合わなかった」なども比較的上位にあげられており、これらはすべてそこで働く人たちとの相性の問題に帰結します。

結局のところ、「こんな人たちとは一緒に働けない！」という理由で、多くの人が退職を決めているということです。

私たち筆者は様々な企業から依頼を受けて、入社早々辞めてしまった早期離職者や、異動早々退職してしまった方々が退職した本当の理由を調査しています。

その中で、どなたもはじめのうちは「やはりやりたい仕事じゃなかった」「プライベートの都合上」などの理由を口にしますが、本人の本音を深堀したり、所属するチームメンバーなどへの聞き取り調査を進めていくと、「実は、あの上司が嫌だった」「同僚のアイツとどうしてもウマが合わなかった」などが退職の決め手であることが多いです。

仕事内容自体は本人の希望にとてもマッチしており、適性もあるにもかかわらず、人間関係によってその会社でのキャリアを絶たれてしまうのは、会社にとっても、もちろん本人にとっても残念なことです。

早期離職につながらないために気をつけること

職場の関係性は、定着にどれほど重要なのでしょうか。

実は、この「職場の関係性」こそが何より定着の第一歩なのです。

というのも、新人が職場に定着するプロセスにおけるファーストステップとして、職場の仲間に受け入れられた感覚である「受容感」を得ることが必要だからです。

新人(ジョブローテーションで部署異動した人なども含まれます)は、まず周囲と人間関係を作り、そこから情報を得て次第に仕事ができるようになってくる感覚——「有能感」を得られるようになります。

受容感を得るには大体3か月ほどかかり、有能感を得るまでになるには大体6か月ほどかかることが研究で明らかになっています。

結局、身近な周囲との関係性づくりがはじめに必要、というわけです。

「ある人にとって〝組織〟とはその人の半径3メートルにいる身近な人たちのこと」

ともよく言われますが、会社に対する一体感や愛着とは結局、その人の上司や同僚など身近な人に対する一体感や愛着と同義なのかもしれません。

人事や上司にとって、受容感を得ることができる3か月間は、新人が定着するか、勝負の期間です。

逆にいえば、入社後3か月間徹底的に職場の関係性づくりに励み、本人の心理的安全性が確保されれば、そこから先は具体的な仕事内容のインプットにより集中できるともいえます。

このファーストステップでつまずかないように、**人事や上司は、性格的な相性も踏まえて初期配属で誰と一緒に働いてもらうか（アサインメント）を考えるようにしましょう。**

一般的にアサインメントでは、「その人に一番向いてそうな仕事は何か（スキルマッチ）」だけを考えて行われることが多く、「その人と一番相性が良さそうな人は誰か（ピープルマッチ）」を考えることは稀（まれ）です。

しかし、チーム編成において性格的な相性の違いが、そのチームの生産性に影響を与えることが明らかになっています。同じ仕事をするにしても、自分と相性が良い人とはより早く、より質の高い仕事ができることは、多くの人が感覚的に理解できるでしょう。

可能であれば、入社後とはいわずに入社前時点から、配属先の上司や先輩と入社前から関係性を築くように会わせるのも良いです。入社前からある程度の関係構築が終わっていれば、さらにスムーズに定着につながるからです。

その際、上司自身へ予防注射的に注意喚起をするのも効果的です。

選考時の適性検査情報（特にパーソナリティテスト）を上司や先輩に共有し、「今度入ってくる新人はこういったタイプで、あなたとは仕事の進め方や、チームとの関わり方として、このように考え方が違う可能性があります」と伝えておきます。

また、上司自身も自分の性格的な特徴を事前に理解しておく必要があるでしょう。上司の自己理解から始めるのも一手です。

第11章

ほしい人材を獲得できる採用担当者の育て方

ここまでに紹介した口説くための採用手法を確実に実践していけば、知名度のない会社でも、ほしい人材を今よりも採用できるようになります。自社よりも採用ブランド力や知名度のずっと高い競合他社に勝つ「ジャイアント・キリング」「下剋上」も夢ではありません。

しかし、多くの会社を見てみると、言うは易く行うは難しで、頭では理解しても、実際は採用担当者が口説きされていないケースは多く見られます。

では、紹介した採用手法をいかんなく発揮してもらうために、会社としてどう採用担当者を育成していけばよいでしょうか。

採用担当者に必要な資質

口説きを担当する採用担当者には、ベースとして持っておいてほしい資質があります。

それは、**人から信頼される力と、人の心を動かすことのできる情熱です。**

人から信頼されるためには、先に自らが相手を信頼できるようになる必要があります。

人は自分がされたことを相手に返そうとする特性を強く持った生き物である（返報性の原理）ことは何度も説明しました。信頼されたり、期待されたり、愛されたりすれば、自分も相手に対して、信頼して、期待して、愛そうとするものでしょう。

なお、ここでいう「信頼」とは、「評価」とは全く異なる概念です。

面接でのジャッジのように「こういう事実があるから、彼／彼女はこうするだろう」と評価することは、信頼よりも計算や予測に近い行為です。

このような「相手を評価しようとする姿勢」は、時に信頼を打ち消すことがあります。

話は飛びますが、子どもは、親が本当に自分を愛してくれているかどうか、その愛や信頼を試す行動に出ることがあるそうです。あえて問題行動を起こしてみて、親の反応や様子をうかがうのです。

問題を起こした際に「信頼していたのに」と怒る親に対しては、子どもはむしろ「信頼されていなかった」と感じます。計算や予測ではない〝本当の〟信頼をしていたのであれば、最初に出てくる反応は「あの子がそんなことをするはずはない」と思うはずだからです。

この**「保護者が子どもに対して持つ信頼」にも似た信頼や期待、つまり「無条件の愛着」とも言い換えられる気持ちを、候補者に対して抱くことができるかどうか。**

それが、候補者から信頼され、期待されるための採用担当者の必要条件です。

詐欺師のように、本心ではないのに、相手を騙して好意を持たせるということでは決してありません。むしろ、自分の会社で採用したい優秀な人材に対して、思ってもいないことを言っても、その嘘は候補者に軽く見抜かれて、むしろ軽蔑(けいべつ)されてしまうのがオチではないでしょうか。

誰に口説きを任せるかといった担当者のアサインを考える際は、この観点で適任者を探さないといけません。人に本心から関心や愛着を持てるか——ここが採用担当者としての資質になるのです。

人生に影響を与えてしまうことへの恐怖心を乗り越えろ

ところが難しいのが、この「人を信頼しようとする心持ちの優しい誠実な人」であればあるほど、相手のことを気遣うあまり、人の人生に影響を与えてしまうのが怖くなり、「結局、最後に決めるのは君だよ」と最後まで口説ききれないことがあることです。優しい人ほど、強さを持つことは難しいともいえます。

確かに、自分の会社に入社してほしいと動機づけることは、とても責任の重い仕事です。

もし、あのとき、あの候補者に、影響を与えることがなければ、きっと違う人生を歩んでいただろう。就職という人生の選択の重さを分かっているからこそ、恐れ多くて、相手の人生に責任など持てない。だから、「本気で口説くことなんてできない」というわけです。

そういう担当者は、自分に責任が及ばないように、客観的な事実ばかりを提供し、「選ぶのはあなたです」と応募者を突き放すことがあります。それが誠実な行為であると考えているからです。

しかし、人と人とが出会ったとき、どんなに気をつけたとしても、影響を与えずにいることなど不可能です。

むしろ、多少なりとも影響を与えているのに、「私は影響を与えていない。だから、相手の人生には何の責任も取りません」という態度の方が不誠実ではないか、と思います。

もちろん、口八丁手八丁で、実態と異なる情報を吹き込み、だますようにして入社させようとするのは論外です。第5章で述べた通り、「口説く＝手八丁口八丁でだまし、本人の意志を変えて洗脳する」ことではありません。

しかし、採用担当者自身が自社の将来に対して本当に希望を抱いていて、目の前の候補者にも本当に適性を感じているのであれば、「最後まで口説く勇気」をもっても良いのではないでしょうか。またそういう意味では、採用担当者は、自社に対して十分に知識があり、その将来について確信していなければ、口説くことは難しいでしょう。

逆説的ではありますが、そもそも採用担当者がどれだけ熱心に口説いて、候補者に多少なりとも影響を与えたとしても、最後の最後に意思決定するのは本人であり、本当の意味で会社側に決定権などはありません。

だから、自信をもって、口説く覚悟を決めることが重要です。

経営者や人事のトップは、はじめにこのスタンスを採用担当者にインプットする必要があるでしょう。

自分の中に「どうせうちなんて」が生じていないか？

採用担当者が最後まで口説ききれないもう一つの原因に、「どうせうちなんて」という諦め、専門用語でいえば「学習性無気力」が生じている可能性があります。

特に、候補者の併願先企業を聞いて、その企業が自社よりも圧倒的に採用ブランド力が高い人気企業・有名企業だった場合にあきらめてしまうケースがあります。

心のどこかに自社の未来を信じきれていない自分がいて、そこにネームバリューの強い他社が出てきたために、

「きっとこの候補者はうちより魅力的なそっちにいってしまうだろう」

と考えるのでしょう。

しかし、自社をどこよりも一番魅力と感じていなかったり、自社の将来を今一つ信じられていなかったりする採用担当者は、全力で人を口説くことなどできません。

第5章で、最後は候補者にいかに一般的な知名度や人気度のランクに関係なく、自分で考えて選択をしてもらうかが口説きの腕の見せ所という話をしましたが、採用担当者にこの学習性無気力が生じている限り、そのようなことなどできないでしょう。

考えてみれば、未来の出来事や夢は、「未だ実現していない」という点においては嘘と紙一重です。信じていない未来像を堂々と語れば嘘になるので、誰もやりたくはありません。

しかし、「きっと実現できる未来だ」と信じている限り、それは夢のままです。

自社の未来の成功を心から信じているのであれば、候補者に堂々と夢を語り、堂々と誘うはずです。

つまり、夢を語って口説かないのは、優しさなんかではなく、嘘つきになりたくないただの責任逃れです。

会社の顔であるあなた（採用担当者）ですら、自社の未来の可能性を信じていない職場はどんなものでしょうか。

今だけ、自分だけよければよいという腰掛け集団かもしれません。

もしそうだとすれば、社員全員の公共財である職場の雰囲気などを盛り上げようなどとはしないでしょう。

経営者や人事のトップは、採用担当者が胸を張って自社の魅力や将来を語れるように、日ごろから愛社精神を高めることが重要になっていきます。

こういった愛社精神や職場の一体感のことを「組織コミットメント」といいます。

特に中小企業などでは経営者の役割が重要で、ふだん経営者と現場社員が一緒に仕事をする機会を作ったり、社員が自分のキャリアビジョンを経営者に共有したり、また経営者と飲みに行くなどのプライベートな接触頻度を増やしたりすることが、組織コミットメントにつながるといわれています。

若手社員とベテラン社員の「口説く力」の違い

候補者の口説き役をアサインする際に、年次は低い方が良いのか、高い方が良いのかという点についても触れておきましょう。

会社によって、1〜3年目程度の若手社員を中心に口説きを任せる会社と、4〜10年目級の中堅ベテラン社員に口説きを任せる会社がありますが、筆者らはどちらかというと若手社員も採用担当者として配置し、候補者を口説く担当にすることをおすすめしています。

ベテラン社員には社内の現実がより正確に見えているというメリットがあります。自社のビジネスモデル、仕事内容やその流れ、顧客の特徴、現在までに至る会社の歴史や変遷、これらすべてについて、若手社員より詳細に把握し、冷静に語ることができるでしょう。

一方で、先ほど述べた通り、**口説きは会社の魅力や将来を信じて疑わない熱っぽさが非常に大切です。**その観点からは、ベテラン社員は酸いも甘いも知りすぎてしまって、純粋な夢をもって口説けない可能性があります。

筆者（曽和）がリクルートで採用担当をしていたとき、同期で入社し、一緒に採用担当をしていたとある社員が、人事系の仕事に異動してしばらくしたら、「もう純粋に人を口説いて採用とかできないよー」と冗談半分に話していたことを思い出します。

このような、どこか一歩腰が引けてしまっている姿勢は、候補者にも伝わってしまいます。

反面、まだ入社の浅い若手社員は変に知りすぎていない分、会社に対する期待感や将来に対する確信をもっています。だからこそ、熱量をもって語れます。それが候補者の心に響くわけです。

もちろん、ベテラン社員にも出てもらうべきタイミングがあります。

それは、仕事内容や顧客の特徴などを正確に説明すべきときです。候補者からこういった点について質問をされたら、若手社員よりもベテラン社員の方が適切でしょう。

メインのフォロー担当者としては若手社員を付け、彼／彼女らが夢や魅力を存分に語ることで候補者の志望度を熱し高め、ベテラン社員からの正確な情報提供を差し込むことで、適宜クールダウンさせる、という形が理想です。

まるで鋳物（いもの）を作るように、熱する⇅冷ますの繰り返しによって、候補者の志望度が強固になっていきます。

感動するストーリーや刺さる言葉をとことん探そう

採用担当者が自社の魅力を語る際、具体的な事例をもって語れることも重要です。

せっかく熱量をもって自社の魅力を語っても、空に浮いた抽象的な言葉を並べるだけでは、候補者には「熱意は伝わるけど、具体的なイメージがわかない」と思われてしまいます。

特に社会人経験のない新卒を口説くときは、具体的事例がなければ、イメージはわかないはずです。

自社の魅力に関する具体的事例というのは、実際に起きた感動するプロジェクト秘話やストーリー、そしてその当事者が語った重要な言葉などです。

例えば、「どんなに苦境に置かれても、全員が最後まであきらめない姿勢を持っている」という組織文化を伝えたい場合、

「実は2年前にこんなプロジェクトが発足してね。それは社を挙げた一大プロジェクトだったんだけど、発注元の要望が途中で変わって、当初の見込みよりかなり厳しい状況に置かれたんだ。そのときに……をして、全員が最後までやりきることで、結果的にプロジェクトは完遂(かんすい)したんだよ！」

と熱く語ることができれば、説得力は倍増します。

社内に散らばっている、こういったストーリーやキーワードをできるだけ多く知っていることが、採用担当者の口説く力に直結します。

事例の引き出しが増えれば、その分「人を見て法を説く」ことの精度が上がり、質の高いフォロートークを繰り出すことができるようになります。

そのために、**まずは会社にいる「スター選手」を探し、ひたすら会わせることから始めましょう。**

スター選手とは、社員から憧れの存在となっているような人のことで、トップ営

業マンかもしれませんし、新規事業担当者かもしれませんし、経営者かもしれません。こういう人たちがこれまでに経験してきた自社における「プロジェクトX」をたくさん知っているだけでも、口説く力は格段に上がります。

具体的には、人事としてアサインした採用担当者に各部門のスター選手のリストを渡し、まずは全員と会ってストーリーを集めてくるよう依頼したり、実際の現場業務に同行させてもらったりするよう調整しましょう。

そのうえで、採用担当者全員を集めて、「自分だったらスター選手○○さんのプロジェクトについて、こんなふうに候補者に語ります」と、自分なりのフォロートークを共有する「フォロートーク・ブラッシュアップ会」を実施するのもおすすめです。

引き出しを増やすためには、他の採用担当者の言葉や考えなども参考になります。

ロープレよりも実践をとにかく繰り返せ

口説く力は先天的に身についているものではなく、後から身につけられる後天的なスキルです。街中でナンパはできなくても、採用で候補者を口説くことはできるようになります。

このスキルを身に着けるためには、先ほど紹介した「フォロートーク・ブラッシュアップ会」や「面談ロールプレイ」などを繰り返すのも手ですが、最後は結局、一人ひとり異なる候補者に対して実践を繰り返していくのが一番力が身につきます。

ロープレは、「こんな人にはこう話す」という事前に決められた設定の中で、トークの〝型〟を身につけるものです。型を身につけるのももちろん大事ですが、口説きは結局「人を見て法を説く」個別性です。相手は千差万別、十人十色で、複数の台本を完コピしたからといって、万人に対応できるようにはなりません。

とにかく色々な人と会って話してみて、人に対する引き出しを増やしていくことが大事なのです。第1章で述べた学習の「70：20：10モデル」の通り、人は実際の経験（実践）を通じて最も成長します。

実践を繰り返すうえでは、もう一つセットで行うべきことがあります。

それは経験を成長に結びつけるための**「振り返り」**です。何でもただ経験すれば良いというものではありません。

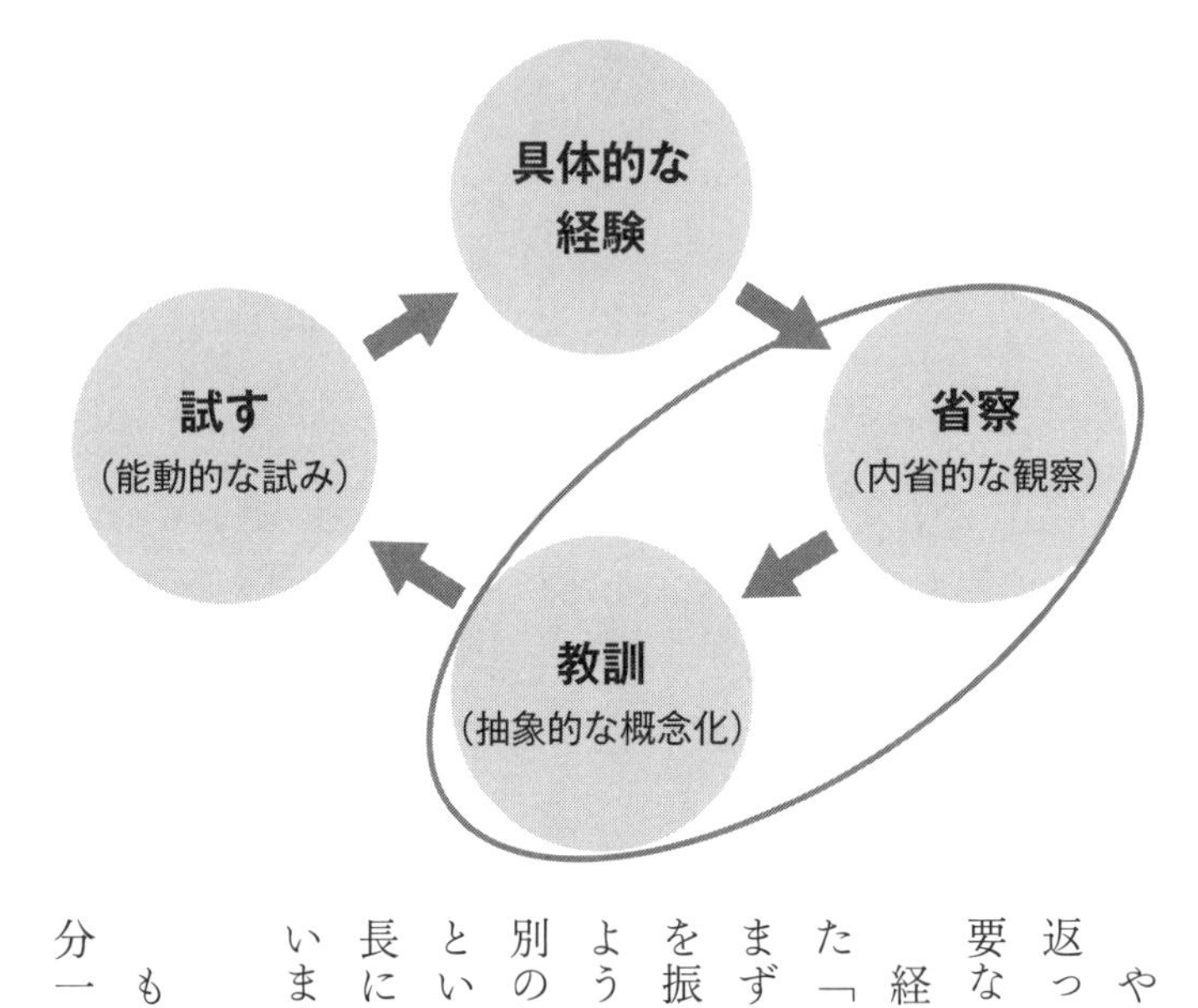

やりっぱなしではなく、振り返って経験の質を高めるのが重要なのです。

経験からの学びの流れを示した「経験学習サイクル」では、まず具体的な経験をして、それを振り返り（省察）、次はこうしようと教訓を得て（教訓）、また別の経験に活かしていく（試す）というサイクルを回すことで成長につながっていくといわれています。

もちろん、このサイクルを自分一人で回せるようになるのが理想的ですが、口説き役の若手社員はまだうまい振り返り方（省察と教訓の方法）を知りません。

それをサポートするのが人事や先輩採用担当者です。

例えば、人事から以下のように若手社員の振り返りをサポートできるでしょう。

人事「昨日の候補者さんとの面談お疲れさまでした。あなたが今回の面談で意識したことは何でしたか？」（省察を促す）

若手社員「はい。今回、私は思い切って面談初めに自分のこの会社への入社動機を長めに話しました。この候補者さんとはすでに何度も会っていたため、関係性もある程度出来上がっていると思っていたし、面談時間も30分と限られていたため、面談冒頭に話してみたんです」

人事「そうだったのですね。その結果、候補者さんの反応はいかがでしたか？」

若手社員「それが、面談最後に『今日はいかがでしたか？』と聞いてみると、その候補者さんから『今日は私からうかがいたい質問が5つほどあったのですが、時間切れになってしまいすべてはうかがうことはできませんでした』と仰っていました。私が最初に入社動機を熱く語りすぎたので、面談時間を圧迫してしまい、候補者さんの質問をすべて受けきれなかったんです」

人事「なるほど。それで、今回の失敗を次回どう活かせばよさそうでしょうか？」（教訓を見つける）

若手社員「まず面談のはじめに、本日候補者さんが確認したいことや聞いてみたいことなどをヒアリングし、その上で、こちら側が話したい内容を伝えるべきでした。自分が伝えたい気持ちが先行してしまって、候補者さんの視点に立てていなかったと思います」

人事「いいですね。では今回の学びを次回の面談に活かしてみましょう」（別の経験へ活かす後押し）

このように、

「今回の面談では候補者にどんなトークを語り、反応はどうだったのか」

「もう一度面談で試すとしたら、次はどんなトークに変えるか」などを採用担当者間で一緒に考える機会を設けてもよいかもしれません（「ピアサポート」と呼びます）。

口説ける採用担当者を育てるためには、何よりも実践を繰り返すこと。まずは行動あるのみです。

おわりに

いかがでしたでしょうか。

拙（つたな）い表現などもたくさんあったかと思います。何卒ご容赦いただければと思いますが、まずは最後までお読みいただきまして、ありがとうございました。

さて、本書で繰り返し述べてきました「口説く力」ですが、この場を借りて、私が本編ではお伝えしきれなかったことを簡単に書かせてください。

まず「口説く」という言葉の表現について。

人事・採用に関わっておられる方々の中にはこの表現を好ましく思わない方もいらっしゃるかもしれません。それは、この表現の世の中一般イメージとして、相手を洗脳したり、引っ張り倒したりするようなことが含まれるからだと思います。

しかし、誤解を招かないようにお伝えすると、採用担当者が候補者を「口説く」というのは、そういった意味ではなく、あくまで相手の意思決定をサポートするために適切な情報提供をすることを指しています。

候補者にとって人生を左右する「就職」という場面において、「議論に勝っても相手は変わらない」「自分で決めたという意識があるかが大事」なのは当然です。自分ですでに決めた意思を、他者がひっくり返すことなどほぼ不可能でしょう。

それでも何らかの影響を与えることができる人がいるとすれば、それは、「まだ迷っている人」だけです。だからこそ、早く「迷っている」ことに気づき、そこでいろいろな情報提供をすることが重要なのです。

そんな中でも、あえて本書で「口説く」という表現を使ったのは、やはり〝担当者自身や自社の魅力を十分に伝える〟という意味では、この言葉が最適だと考えたためです。

もう一点お伝えしたかったことは、本書で紹介した「攻めの採用」は、今後の日本において社会的意義の高い採用であるということです。

すでに本編で述べた通り、「下手な鉄砲も数撃ちゃ当たる」的に人材をただやみくもに集め、精度の低い選考を行い、足切り的にばっさり落とす。こんな採用を行っている会社が依然として多くあります。

そして、そんな企業に対しても、受からなければならない候補者はＥＳや職務経歴書を何時間もかけて作っています。

これでは、良い人材・良い企業にマッチングするまでのコストがかかりすぎています。

表立って社会問題化していないだけで日本全体での時間的・経済的な損失は膨大です。

だからこそ、自社にあったほしい人材をきちんと定義し、ピンポイントで集め、見抜き、全力で口説いて、最後には入社を決意してもらうことが、企業・候補者の双方にとっての時間的ロスの削減につながるのです。

本書を執筆した背景には、私たち筆者のこういった問題意識があることをここでお伝えしておきたいと思います。

最後に、本書を上梓するにあたり、編集者として根気強くご指導をいただきました秀和システムの前川千亜理様、共著者であり私の上司でもある曽和利光さん、コンサルティングの場を通じて「良い採用とは何か」を常に考えさせてくださるクライアントの皆さま、そして本書を手に取ってくださりお読みいただいた読者の皆さまに深くお礼申し上げまして、筆を置きたいと思います。

安藤　健

ありがとうございました。

著者紹介

安藤健（あんどう　けん）

株式会社人材研究所 ディレクター。
青山学院大学教育人間科学部心理学科卒業。国内大手企業での新卒・中途採用の外部面接官業務や人事・採用担当者向けセミナーなどを手掛ける。他に、企業各社の面接設計や候補者フォロー戦略構築プロジェクトに多数従事。組織・人事に関わる人のためのオンラインコミュニティー『人事心理塾』を企画・運営。著書に『人材マネジメント用語図鑑』（ソシム、共著）、『誰でも履修履歴と学び方から強みが見つかる あたらしい「自己分析」の教科書』（日本実業出版社）など。

曽和利光（そわ　としみつ）

株式会社人材研究所代表取締役社長。
株式会社リクルートで人事採用部門を担当、ゼネラルマネージャーとして活動したのち、株式会社オープンハウス、ライフネット生命保険株式会社など多種の業界で人事を担当。「組織」や「人事」と「心理学」をクロスさせた独特の手法を確立し、2011年に株式会社人材研究所を設立、代表取締役社長に就任。企業の人事部へ指南すると同時に、これまで2万人を超える就職希望者の面接を行った経験から、新卒および中途採用の就職活動者（採用される側）への活動指南を各種メディアのコラムなどで展開する。

これで採用はうまくいく ほしい人材を集める・見抜く・口説くための技術

発行日　2024年　7月25日　第1版第1刷

著　者　安藤　健／曽和　利光

発行者　斉藤　和邦
発行所　株式会社　秀和システム
〒135-0016
東京都江東区東陽2-4-2　新宮ビル2F
Tel 03-6264-3105（販売）Fax 03-6264-3094
印刷所　三松堂印刷株式会社　Printed in Japan

ISBN978-4-7980-7240-1 C0034